PRÉ-CÁLCULO

Paulo Boulos

PRÉ-CÁLCULO

© 2001, 1999 Pearson Eucation do Brasil Ltda

Todos os direitos reservados. Nenhuma parte desta publicação poderá ser reproduzida ou transmitida de qualquer modo ou por qualquer outro meio, eletrônico ou mecânico, incluindo fotocópia, gravação ou qualquer outro tipo de sistema de armazenamento e transmissão de informação, sem prévia autorização por escrito e transmissão de informação, sem prévia autorização, por escrito, da Pearson Education do Brasil.

PRODUTORA EDITORIAL Sandra Cristina Pedri
CAPA Sidnei Moura e Solange Rennó
sobre o projeto original de Marcelo Françozo

Dados Internacionais de Catalogação na Publicação (CIP)
(Câmara Brasileira do Livro, SP, Brasil)

Boulos, Paulo
 Pré-Cálculo
São Paulo: Pearson Makron Books, 2001

 Bibliografia
 ISBN: 978-85-346-1221-0

Direitos exclusivos cedidos à
Pearson Education do Brasil Ltda.,
uma empresa do grupo Pearson Education
Avenida Santa Marina, 1193
CEP 05036-001 - São Paulo - SP - Brasil
Fone: 11 2178-8609 e 11 2178-8653
pearsonuniversidades@pearson.com

Mensagem do Autor ao Leitor

Prezado leitor. Eis algumas perguntas e respostas que vão orientá-lo sobre este livro. Por favor, leia.

Qual o objetivo deste livro?
O objetivo deste pequeno livro é passar para você informações básicas e relevantes sobre números reais, de uma forma tão amigável quanto possível. Estas informações lhe são necessárias para enfrentar um curso inicial de Cálculo Diferencial e Integral.

Será que eu preciso estudar isso?
Que tal um teste para verificar se há necessidade de você estudar a matéria que consta do livro? Sugerimos que você tente resolver os exercícios suplementares, propostos no final (veja o sumário de matérias), cujas respostas aparecem após o último. Depois disso, você decide...

Como é estruturado este livro?
Além dos exercícios suplementares citados acima, o livro apresenta um Apêndice, que contém material opcional, e quinze parágrafos. Em cada um deles, aparecem exemplos ilustrando resultados, manipulações algébricas, etc., cada exemplo sendo em geral seguido de exercícios quase sempre parecidos (para não desanimá-lo). Os exercícios aparecem na medida da necessidade, e todos apresentam resposta. As respostas não ficam no final do livro não. Ficam no fim de cada parágrafo, destacadas em cinza. Um parágrafo merece destaque, o último, pela sua originalidade. Trata-se de um elenco de erros comuns, que a experiência nos mostra, e que em futuras edições pode aumentar. Não é o nosso desejo!

O Símbolo ◀ que aparece no texto indica uma resposta de um exemplo, ou o término do mesmo.

Como devo proceder para aproveitar o livro (para aprender, bem entendido!)?

Olhando a matemática como um jogo, você tem de ser um jogar ativo, e nunca um mero espectador. Por melhor que seja o seu professor, por mais esforço que o autor faça para ser didático, quem tem de aprender é você, e isto demanda trabalho individual, que inclui:

- Dedicação diária fora da sala de aula, nem que seja de pouca duração, resolvendo exercícios e lendo a matéria dada e, se possível, se não for sonhar demais, a que será dada.

- Atenção em sala de aula, procurando absorver ao máximo o ensinamento do seu professor. Deixe o mínimo de duvidas para depois.

Para terminar, desejo sinceramente que você goste do livro, da maneira como foi escrito, e que você tire proveito dele, porque isto é parte principal do seu objetivo. Se você tiver críticas a fazer, por favor, mande um e-mail para a editora Pearson *(universitários@pearson.com)*

São Paulo, 25 de novembro de 1998.

O Autor.

Mensagem do Autor ao Professor

Prezado Professor
A realidade brasileira do ensino da Matemática está a exigir, mais do que nunca, uma atenção especial à parte básica. Assim como a maioria dos nosso colegas de profissão, sentimos que um curso de Cálculo Diferencial e Integral fica grandemente prejudicado pela falta de conhecimento básico por parte do aluno, e as dificuldades dessa disciplina, que não são nada desprezíveis, juntam-se àquelas decorrentes dessa falta de base, tornando quase que impraticável o seu ensino.

  Este livro nasceu diretamente dessa problemática. Tivemos uma grande dificuldade não só em escolher os tópicos, mas principalmente em como abordá-los, uma vez que, como o aluno vai receber tais conhecimentos extemporaneamente, não pode haver um longo dispêndio de tempo nessa parte básica, sob pena de prejuízo no cumprimento do programa normal. Além disso, a experiência nos mostrou que não se pode encarar o assunto como uma simples revisão. Tendo isso em vista, procuramos dar ao texto certas características especiais, dada a especialidade da situação, entre as quais se incluem as seguintes:

- Os resultados são dados na maioria das vezes em caráter de informação, evitando aspectos formais, que seria um desatino pedagógico a essa altura. Em raras vezes foi feita uma demonstração, sempre no sentido de despertar alguma curiosidade no leitor.
- Uso de linguagem direta e simples, coloquial mesmo, para cativar a atenção do aluno (às vezes tal linguagem pode parecer um tanto exagerada, porém isso é intencional).

- Exercícios em número moderado, na medida das necessidades do aluno, tendo em vista que nem aluno nem professor terão, em geral, muito tempo para investir nesses assuntos. No final, uma série de exercícios suplementares são oferecidos, que pode servir como medida do aproveitamento do aluno. Ao aluno que deseja ter uma idéia de seus conhecimentos básicos, sugerimos que tente resolver logo de início tais exercícios suplementares.

Para terminar, queremos pedir a valiosa cooperação do colega, no sentido de apontar erros, sugerir modificações do material e do texto, etc., pelo que antecipadamente agradecemos. Desejo agradecer à Marta Paula Silva Santos, aplicada aluna da professora Cristina B. Mekitarian de Mello, da Universidade Ibirapuera, pela indicação de diversas incorreções do texto. Como sempre, tivemos o apoio da professora Márcia Aparecida de Mendonça Boulos, não só no incentivo, como também na colaboração efetiva na confecção deste livro.

São Paulo, 25 de novembro de 1998.

O Autor.

Sumário

Capítulo 1   **O Conjunto dos Números Reais como Corpo** **1**

    §1- INTRODUÇÃO 1
    §2- REGRAS BÁSICAS (AXIOMAS DE CORPO) 2
    §3- CONSEQÜÊNCIAS DAS REGRAS BÁSICAS 5
        (A) Cancelamento 5
        (B) Anulamento 7
        (C) Regras de sinal 8
    §4- POTÊNCIA COM EXPOENTE INTEIRO POSITIVO 9
    §5- SUBTRAÇÃO 11
    §6- DIVISÃO 12
        (A) Fração 12
        (B) Igualdade de frações 13
        (C) Regra de sinais para frações 14
        (D) Soma de frações 15
        (E) Produto de frações 20
        (F) Quociente de frações 20
        (G) Potência com expoente inteiro 22

Capítulo 2   **Expressões Algébricas** **27**

    §7- EXPRESSÕES POLINOMIAIS 27
        (A) Identidade e equação 27
        (B) Identidades envolvendo adição e subtração 30
        (C) Identidades envolvendo produto 31
        (D) Identidades envolvendo divisão 34
        (E) Fatoração 40

§8- EXPRESSÕES RACIONAIS 45
    (A) Adição e subtração 45
    (B) Produto e quociente..................... 48

Capítulo 3   **O Conjunto dos Números Reais Como Corpo Ordenado** **51**
    §9-   AXIOMA DE ORDEM 51
    §10- MÓDULO OU VALOR ABSOLUTO..................... 58
    §11- RADICIAÇÃO... 62
        (A) Raiz n-ésima............................. 62
        (B) Propriedades 65
    §12- POTÊNCIA COM EXPOENTE RACIONAL 68
    §13- EQUAÇÃO QUADRÁTICA............................. 71
        (A) Equações na forma incompleta 71
        (B) A arte de completar quadrados 72
        (C) Fatoração de uma expressão quadrática. Equação do
        segundo grau................................... 74
    §14- EQUAÇÕES QUE RECAEM EM EQUAÇÕES
        QUADRÁTICAS.................................. 81
    §15- ALGUNS ERROS A SEREM EVITADOS 84

Apêndice   **O Conjunto dos Números Reais como Corpo Ordenado Completo**... **89**

Exercícios Suplementares...................................... **97**

Capítulo 1

O Conjunto dos Números Reais como Corpo

§1- Introdução
§2- Regras básicas (axiomas de corpo)
§3- Conseqüências das regras básicas
    (A) Cancelamento
    (B) Anulamento
    (C) Regras de sinal
§4- Potência com expoente inteiro positivo
§5- Subtração
§6- Divisão
    (A) Fração
    (B) Igualdade de frações
    (C) Regra de sinais para frações
    (D) Soma de frações
    (E) Produto de frações
    (F) Quociente de frações
    (G) Potência com expoente inteiro

§1- INTRODUÇÃO

Tudo o que vamos desenvolver neste livro está baseado nas propriedades dos números reais. O mínimo que devemos fazer, por conseguinte, é passá-las em revista. Aconselhamos a você, caro leitor, que tenha presente sempre tais propriedades, muito bem sabidas, mas muito mesmo! É como se você fosse jogar xadrez. Para mover o cavalo, só se pode fazê-lo em L. O bispo só anda em diagonal etc. É claro, então, que ao jogar uma partida de xadrez, você só pode mover as peças de acordo com as regras desse jogo. Do mesmo modo, se você vai trabalhar com números reais, deve fazê-lo de acordo com as regras que regem sua manipulação. Existem algumas que são básicas, das quais outras são dedutíveis. Não é aqui a melhor ocasião para tratar o assunto desse modo. Quando acharmos que é interessante deduzir alguma, nós o faremos, mas em geral elas serão apenas enunciadas. É bom deixar claro que não se pretende dar um tratamento nem completo nem lógico. O objetivo é fornecer, da maneira mais fácil e direta, informações sobre como lidar com a álgebra dos números reais. Dito isto, passemos ao trabalho.

Combinemos o seguinte:

- Quando falarmos em par ordenado (x,y) de números reais, queremos dizer que estamos pensando em números x e y na ordem seguinte: primeiro x, depois y. A igualdade $(x,y) = (x',y')$ equivale às seguintes: $x = x'$ e $y = y'$.
- Para afirmar que fatos são equivalentes, usa-se a expressão **se e somente se**. Por exemplo, no caso acima, dizemos: $(x,y) = (x',y')$ se e somente se $x = x'$ e $y = y'$.
- O conjunto dos números reais será indicado por $\mathbb{R}$. O conjunto dos números naturais, formado pelos números reais 0,1,2,3,4,..., será indicado por $\mathbb{N}$. Na simbologia usada para conjuntos, escreve-se

$$\mathbb{N} = \{0,1,2,3,4, \ldots \}$$

O conjunto dos números inteiros é formado pelos números naturais acrescido dos números $-1, -2, -3, -4, \ldots$. Indica-se tal conjunto por $\mathbb{Z}$:

$$\mathbb{Z} = \{0, 1, -1, 2, -2, 3, -3, 4, -4, \ldots\}$$

Um número racional é um número real da forma p/q, onde p e q são inteiros, $q \neq 0$. O conjunto dos números racionais é indicado por $\mathbb{Q}$.

§2- REGRAS BÁSICAS (AXIOMAS DE CORPO)

Em $\mathbb{R}$ estão definidas duas operações. A **adição**, que a cada par ordenado (a,b) de números reais associa um único número real $a + b$, chamado soma de a e b, e a **multiplicação**, que a cada par ordenado (a,b) de números reais associa um único número real $a.b$, chamado produto de a e b. Costuma-se, quando for conveniente, omitir o ponto, e escrever *ab* em lugar de *a.b*. Na soma $a + b$, *a* e *b* são referidos como **parcelas,** ao passo que no produto *ab*, *a* e *b* são referidos como **fatores**.

Só com a noção de operação pode-se concluir que vale a seguinte regra (*a*, *b* e *c* são números reais):

Regra da Balança. Se $a = b$, então $a + c = b + c$ e $ac = bc$.

Em palavras: **em uma igualdade de números, sempre se pode somar ou multiplicar uma mesma quantidade.**

O nome da regra advém de interpretar *a* e *b* como pesos colocados um em cada prato de uma balança (de Roberval, aquela com dois pratos), os quais sendo iguais, mantêm a balança em equilíbrio. Este equilíbrio é mantido se acrescentarmos, em cada prato, um mesmo peso *c*, ou seja, $a + c = b + c$.

As propriedades básicas das operações de adição e multiplicação são dadas a seguir.

(I) (*Propriedade comutativa*.) Quaisquer que sejam os números reais *a* e *b*, tem-se:

$$a + b = b + a \qquad ab = ba$$

Podemos então escrever $2 + 5 = 5 + 2$, $3.4 = 4.3$.

(II) (*Propriedade associativa*.) Quaisquer que sejam os números reais *a*, *b* e *c*, tem-se:

$$(a + b) + c = a + (b + c) \qquad a(bc) = (ab)c$$

Por causa disso, omitem-se os parênteses. Escreve-se, respectivamente, $a + b + c$ e abc. Esta propriedade se generaliza para o caso de diversos números. Assim, $a + b + c + d$ indica qualquer dos números que se obtém colocando parênteses, o mesmo sucedendo com $abcd$.

Exemplo 2-1

$(2 + 5) + 3 = 2 + (5 + 3)$, que se indica por $2 + 5 + 3$ ◄

$(4.9).5 = 4.(9.5)$, que se indica por $4.9.5$. ◄

(III) (*Elemento neutro*.) Existem únicos números reais, indicados por 0 e 1, com $0 \neq 1$, tais que, para qualquer número real *a*, verificam

$$a + 0 = a \qquad a.1 = a$$

(IV) (*Elemento oposto e elemento inverso.*)

- Dado um número real a, existe um único número real indicado por $-a$, chamado **oposto** de a, tal que
$$a + (-a) = 0$$

- Dado um número real $a \neq 0$, existe um único número real, indicado por $\dfrac{1}{a}$, e também por a^{-1}, chamado **inverso** de a, tal que
$$a \cdot \dfrac{1}{a} = 1$$

Exemplo 2-2

$$3 + (-3) = 0 \qquad e \qquad 3 \cdot \dfrac{1}{3} = 1.$$

◀

(V) (*Propriedade distributiva.*) Quaisquer que sejam a, b e c reais, tem-se
$$a(b + c) = ab + ac \qquad\qquad (b + c)a = ba + ca$$

Exemplo 2-3

$$7(3 + 6) = 7.3 + 7.6\,; \qquad\qquad (2 + 6)3 = 2.3 + 6.3.$$

◀

Exercício 2-1   Complete, usando a propriedade especificada:

(a) $23 + 31 = \ldots$ (comutativa).
(b) $37.45 = \ldots$ (comutativa).
(c) $6 + (5 + 3) = \ldots$ (associativa).
(d) $(23.54)5 = \ldots$ (associativa).
(e) $4 + 0 = \ldots$ (elemento neutro).
(f) $7.1 = \ldots$ (elemento neutro).
(g) $3 + (-3) = \ldots$ (elemento oposto.)
(h) $4 \cdot \dfrac{1}{4} = \ldots$ (elemento inverso).
(i) $8(3 + 5) = \ldots$ (distributiva).
(j) $(9 + 8)4 = \ldots$ (distributiva).

Respostas dos exercícios do § 2

2-1 (a) $31 + 23$.   (b) 45.37.   (c) $(6 + 5) + 3$.   (d) $23(54.5)$.   (e) 4.
(f) 7.   (g) 0.   (h) 1.   (i) $8.3 + 8.5$.   (j) $9.4 + 8.4$.

§3- CONSEQÜÊNCIAS DAS REGRAS BÁSICAS

(A) Cancelamento

Vamos supor que $a + b = c$. Se quisermos isolar a no primeiro membro, como devemos proceder? Muito simples: pela regra da balança, podemos somar $-b$ a ambos os membros da igualdade, para obter $a + b + (-b) = c + (-b)$. Como $b + (-b) = 0$, temos $a = c + (-b)$. Portanto:

Podemos passar uma PARCELA de um membro para outro, desde que tomemos seu oposto.

Exemplo 3-1 Se $4 + x = 10$, então $x = 10 + (-4) = 6$. ◄

Costuma-se indicar $a + (-b)$ por $a - b$. Assim, $10 + (-4) = 10 - 4$.

Exercício 3-1 Resolva a equação em x, isto é, determine o valor de x, nos casos:

(a) $x + 4 = 2$.   (b) $x + 5 = 9$.   (c) $x + 3 = 6$.   (d) $8 + x = 4$.

Suponhamos agora que $ab = c$, com $b \neq 0$. Se quisermos isolar a, multiplicamos ambos os membros da igualdade por $1/b$, o que é permitido pela regra da balança. Obtemos

$$ab \cdot \frac{1}{b} = c \cdot \frac{1}{b}$$

e como $b \cdot (1/b) = 1$, $a \cdot 1 = a$, o primeiro membro vale a, de modo que

$$a = c \cdot \frac{1}{b}$$

Portanto:

Podemos passar um FATOR de um membro para outro, desde que tomemos seu inverso.

Costuma-se indicar $c \cdot \frac{1}{b}$ por $\frac{c}{b}$.

Exemplo 3-2 Se $2x = 3$, então $x = 3 \cdot \frac{1}{2} = \frac{3}{2}$. ◄

Podemos agora resolver a seguinte equação na incógnita x, $3x + 12 = 15$. (Isto quer dizer que podemos determinar o valor de x.) De fato, passando 12 para o segundo membro, obtemos $3x = 15 - 12$, ou seja, $3x = 3$, e daí, $x = 3.(1/3) = 3/3 = 1$.

Exercício 3-2 Resolver as seguintes equações na incógnita x:

(a) $3x + 5 = 10$. (b) $4x + 12 = 24$. (c) $6 + 2x = 1$. (d) $10x + 3 = 4$.

Vamos agora encarar o problema do cancelamento. No caso de soma: vamos supor que $a + b = a + c$. Note que temos uma parcela comum em ambos os membros, que é a. "Passando" a do primeiro membro para o segundo, ele vira $-a$, e usando o fato de que $a + (-a) = 0$, obtemos $b = c$. Assim, de $a + b = a + c$ obtivemos $b = c$, ou seja, pudemos cancelar a parcela comum a.

Da mesma forma, se $ab = ac$, **supondo desta vez que $a \neq 0$**, podemos cancelar o fator a comum a ambos os membros, para obter $b = c$ (basta "passar" a do primeiro para o segundo membro, quando ele vira $1/a$, e combinar $1/a$ com a para obter 1). Registremos:

Cancelamento.

(a) Se $a + b = a + c$,   então $b = c$.

(b) Se $ab = ac$ e $a \neq 0$,   então $b = c$.

ATENÇÃO. Para o cancelamento no produto, é importante a condição $a \neq 0$. De fato, o produto de qualquer número por 0 sendo 0, podemos escrever $2.0 = 3.0$, e daí, se pudéssemos cancelar 0, teríamos $2 = 3$, um evidente absurdo. (Você sabia que dá para provar que $a.0 = 0$ a partir das regras vistas? Eis uma demonstração, só para os curiosos:

$$a.0 + 0 = a.0 = a.(0 + 0) = a.0 + a.0$$

Olhando para o primeiro e último membros, dá para cancelar a parcela $a.0$, de onde resulta que $0 = a.0$. Lindo, não?)

Exercício 3-3 Verdadeiro ou falso?

(a) Se $2a + b + 12 = 2a + c + 12$ então $b = c$.
(b) Se $a + b + c + d = c + s + d + a$ então $b = s$.
(c) Se $1 + 4s + c + 4t = c + 1$ então $4s + 4t = 0$.
(d) Se $2x + 7y = c + 7y$ então $2x = c$.

ATENÇÃO. Você não pode misturar os dois cancelamentos. Em uma soma, em que algumas parcelas são produtos, não se pode cancelar fatores comuns aos produtos. Expliquemos através de um exemplo. Na igualdade

$$3x + 3y + z = 3a$$

não se pode cancelar o 3 em ambos os membros. Ou seja, a relação anterior **não acarreta** a seguinte: $x + y + z = a$. Agora, se fosse $3x + 3y + 3z = 3a$, aí colocaríamos 3 em evidência no primeiro membro, quer dizer, escreveríamos $3(x + y + z) = 3a$ e aí então poderíamos legitimamente cancelar 3 em ambos os membros: $\cancel{3}(x + y + z) = \cancel{3}a$, ou seja, $x + y + z = a$.

Exercício 3-4 Verdadeiro ou falso?

(a) Para quaisquer a, b, c, z reais, se $3a + 2z + 1 = 3b + c$ então $a + 2z + 1 = b + c$.
(b) Para quaisquer a, b, c, d reais, se $3a + 3b + 1 = 3d + 3c + 1$ então $a + b = d + c$.
(c) Para quaisquer a, b, e reais, se $4a + 4b + 4e = 4a + 4$ então $b + e = 1$.
(d) Para quaisquer a, b, c, x reais, se $3x + ab + ac = 3x + 4a$ então $b + c = 4$.
(e) Para quaisquer a, b, c, x reais, se $3x + ab + ac = 3x + 4a$ então então ou $a = 0$ ou $b + c = 4$.

Exercício 3-4 Que condição sobre a, b, c, z deve existir para que $3a + 2z + 1 = 3b + c$ seja equivalente a $a + 2z + 1 = b + c$?

(B) Anulamento

Registraremos a seguir duas propriedades envolvendo o número 0, uma delas já citada acima:

Regra do fator nulo. Qualquer que seja a real,

$$a.0 = 0.a = 0$$

Regra do produto nulo. Sendo a e b números reais, tem-se:

Se $ab = 0$ então ou $a = 0$ ou $b = 0$.

(o *ou* aqui permite o caso $a = b = 0$)

Exemplo 3-3

(a) Pela regra do fator nulo podemos escrever $0.(3s + 67b - 1) = 0$, $45.0 = 0$, $10000000 . 0 = 0$, $(2a + b - c).0 = 0$. ◄

(b) Pela regra do produto nulo, podemos resolver a equação $(x-3)(x+4) = 0$. De fato, ou $x - 3 = 0$, caso em que $x = 3$, ou $x + 4 = 0$, caso em que $x = -4$. Portanto, o conjunto das soluções da equação dada é formado pelos números 3 e – 4. Tal conjunto é chamado de conjunto-solução da equação. Na simbologia usada em Teoria dos Conjuntos, o conjunto formado por 3 e – 4 é indicado assim: $\{3, -4\}$. ◄

Generalização:

1) $a.b.....0 = 0$.

2) $a.b.c.d = 0$ então ou $a = 0$, ou $b = 0$, ou $c = 0$, ou $d = 0$.

Exercício 3-5 Escreva o conjunto-solução das seguintes equações:

(a) $(x-1)(x+1) = 0$.   (b) $(2x-4)(x+5) = 0$.   (c) $(x+1)(x+3) = 0$.
(d) $(5x+4)(3x-3) = 0$.   (e) $x(x-4) = 0$.   (f) $(x-1)(x+4)(4x-1) = 0$.
(g) $x^2 - x = 0$.   (h) $(x+3)^2 = x + 3$.   (i) $x(x+4)(x-1) = 2x(x+4)$.

(C) Regras de sinal

Valem as seguintes fórmulas:

Regras de sinal. Para quaisquer a e b reais tem-se:

(a) $-(-a) = a$
(b) $(-a)b = -(ab) = a(-b)$
(c) $(-a)(-b) = ab$

Assim, temos $-(-3) = 3$, $(-4)6 = -(4.6) = 4(-6)$, $(-7)(-5) = 7.5$

Exercício 3-6 Podemos, de acordo com a regra acima, efetuar a multiplicação $(-4)(-2) = 4.2 = 8$; do mesmo modo, $(-8)2 = -(8.2) = -16$. Agora é sua vez. Efetue:

(a) $(-3)(-5)$.   (b) $6(-3)$.   (c) $(-9)4$.
(d) $-(-5)$.   (e) $(3)2(-1)$.   (f) $(3)(5)(-7)$.

> **Respostas dos exercícios do §3**
>
> 3-1 (a) $x = -2$. (b) $x = 4$. (c) $x = 3$. (d) $x = -4$.
>
> 3-2 (a) $x = 5/3$. (b) $x = 3$. (c) $x = -5/2$. (d) $x = 1/10$.
>
> 3-3 (a) V. (b) V. (c) V. (d) V.
>
> 3-4 (a) F. (b) V. (c) V. (d) F. (e) V.
>
> 3-4 (a) $a = b$.
>
> 3-5 (a) $\{-1,1\}$. (b) $\{-5,2\}$. (c) $\{-1,-3\}$. (d) $\{-4/5,1\}$.
>
>   (e) $\{0,4\}$. (f) $\{-4,1/4,1\}$. (g) $\{0,1\}$. (h) $\{-3,-2\}$. (i) $\{-4,0,3\}$.
>
> 3-6 (a) 15. (b) -18. (c) -36. (d) 5.
>
>   (e) -6. (f) -105.

§4- POTÊNCIA COM EXPOENTE INTEIRO POSITIVO

Vamos definir agora o significado de a^n, onde a é um número real.

Sendo a um número real, definimos:

$a^1 = a$

$a^n = a.a. \ldots .a$ (n fatores), se $n = 2,3,4,\ldots$

Nesse contexto, a é referido como **base** e n como **expoente**.

Exemplo 4-1 Temos

$$2^4 = 2.2.2.2 = 16$$
$$3^2 = 3.3 = 9$$
$$(-2)^3 = (-2)(-2)(-2) = -8.$$

Notemos que $a^3.a^2 = (a.a.a).(a.a) = a.a.a.a.a = a^5 = a^{3+2}$. Em geral, a gente pode se convence facilmente que $a^{m+n} = a^m a^n$. Notemos que $(a^2)^3 = (a.a)^3 = (a.a)(a.a)(a.a) = a.a.a.a.a.a = a^6 = a^{2.3}$. Em geral, vale $(a^m)^n = a^{mn}$. Uma experiência análoga ilustra o seguinte: $(ab)^n = a^n b^n$ e $(a/b)^n = a^n/b^n$. Vamos registrar:

Regras de potenciação. Sendo a um número real, m e n inteiros positivos, tem-se:

- $a^{m+n} = a^m a^n$
- $a^{m-n} = \dfrac{a^m}{a^n}$ (se $m > n$)
- $(a^m)^n = a^{mn}$
- $(ab)^n = a^n b^n$
- $(\dfrac{a}{b})^n = \dfrac{a^n}{b^n}$

Exemplo 4-2

(a) $3^2 3^3 = 3^{2+3} = 3^5 = 3.3.3.3.3 = 243.$ $x^4 x^6 = x^{4+6} = x^{10}.$

(b) $\dfrac{5^7}{5^3} = 5^{7-3} = 5^4 = 5.5.5.5 = 625.$ $\dfrac{x^{50}}{x^{43}} = x^{50-43} = x^7.$

(c) $(2^4)^2 = 2^{4.2} = 2^8 = 256.$ $(x^6)^5 = x^{6.5} = x^{30}.$

(d) $(2.3)^2 = 2^2 3^2 = 4.9 = 36.$ $(2x)^5 = 2^5 x^5 = 32x^5.$

(e) $(\dfrac{2}{5})^3 = \dfrac{2^3}{5^3} = \dfrac{8}{125}.$ $(\dfrac{2x}{3})^4 = \dfrac{(2x)^4}{3^4} = \dfrac{2^4 x^4}{3^4} = \dfrac{16x^4}{81}.$

(f) $(-2)^4 = [(-1)2]^4 = (-1)^4 . 2^4 = 1.2^4 = 16.$

(g) $(-2)^5 = [(-1)2]^5 = (-1)^5 . 2^5 = (-1).2^5 = -32.$

Exercício 4-1 Efetue:

(a) $x^{12} x^5$.   (b) $4x^4 x^8$.   (c) x^9/x^5.   (d) $7x^{18}/2x^{11}$.
(e) $(3x)^3$.   (f) $(2x^4)^5$.   (g) $x^4 (x^3)^7$.   (h) $(2x/3)^4$.
(i) $[(2x^2)^3]^4$.   (j) $2x.3y.x^3 y^5$.   (l) $(-2x)x^7$.   (m) $-(-3x)^2(-2x^3)$.
(n) $(4rs^2)(-3xr^3)$.   (o) $x^6 y^7 (-1)^4 y^3$.   (p) $x^3 y^5/(x^2 y^3)$.   (q) $(-x)^5/(-x)^4$.

Respostas dos exercícios do §4

4-1 (a) x^{17}.   (b) $4x^{12}$.   (c) x^4.   (d) $7x^7/2$.
(e) $27x^3$.   (f) $32x^{20}$.   (g) x^{25}.   (h) $16x^4/81$.
(i) $4096x^{24}$.   (j) $6x^4 y^6$.   (l) $-2x^8$.   (m) $18x^5$.
(n) $-12r^4 s^2 x$.   (o) $x^6 y^{10}$.   (p) xy^2.   (q) $-x$.

§5- SUBTRAÇÃO

A **diferença** de b e a, indicada por $b - a$, é definida por

$$b - a = b + (-a)$$

A seguinte regra nos diz como eliminar parênteses quando ele está antecedido pelo sinal $-$:

Para quaisquer a e b reais, tem-se

$$-(a + b) = -a - b$$

Exemplo 5-1

(a) $-(2 + 5) = -2 - 5$. ◄
(b) $-(-3 + 7) = -(-3) - 7 = 3 - 7$. ◄
(c) $-(-2 - 5) = -[-(2 + 5)] = 2 + 5$. ◄

Exercício 5-1 Verdadeiro ou falso?

(a) Para todo real a, tem-se $-(-a + 3) = a + 3$.
(b) Para todo real a, tem-se $-(-4 + a) = 4 - a$.
(c) Para todo real a e todo real c, tem-se $-(-a - c) = a + c$.
(d) Para todo real m, tem-se $-(5 + m) = -5 - m$.
(e) Para todo real a, tem-se $-6 - a = -(6 + a)$.
(f) Para todo real s, tem-se $-(1 - s) = -1 + s$.

A seguinte propriedade distributiva envolvendo uma diferença é facilmente estabelecida usando a propriedade distributiva anteriormente dada e a definição de diferença (se você se interessar, pode tentar prová-la, que é fácil).

Quaisquer que sejam a, b e c reais, tem-se

$$a(b - c) = ab - ac \qquad\qquad (b - c)a = ba - ca$$

Exemplo 5-2

(a) $5(3 - 7) = 5.3 - 5.7$. ◄
(b) $(9 - 4)6 = 9.6 - 4.6$. ◄

Exercício 5-2 Decida se cada igualdade é verdadeira ou falsa, no sentido de ser uma identidade, quer dizer, cada letra designa um número real qualquer.

(a) $9(3-a) = 27-a$. (b) $(4-x)4 = 16-4x$. (c) $a(5-b) = 5a-b$.
(d) $(-4+c)a = -4a+ac$. (e) $2(-z-w) = -2z-2w$. (f) $(-a+b)(-c) = ac-bc$.
(g) $(-1-w)(-1) = 1-w$. (h) $-a(b-c) = -ab+ca$. (i) $(-4)(a-b) = -4a+b$.

Respostas dos exercícios do §5

5-1 (a) F.   (b) V.   (c) V.   (d) V.   (e) V.   (f) V.

5-2 (a) F.   (b) V.   (c) F.   (d) V.   (e) V.   (f) V.

     (g) F.   (h) V.   (i) F.

---

§6- DIVISÃO

(a) Fração

O **quociente** de b por a, onde $a \neq 0$, indicado por $\dfrac{b}{a}$, ou por b/a, é definido por

$$\frac{b}{a} = b \cdot \frac{1}{a}$$

b é referido como **numerador**, a como **denominador**. Nesse caso, b/a também é referido como **fração**.

Exemplo 6-1

(a) $\dfrac{3}{5} = 3 \cdot \dfrac{1}{5}$.   ◀

(b) $\dfrac{a+b}{4} = \dfrac{1}{4} \cdot (a+b)$.   ◀

(c) $\dfrac{b}{a-b} = \dfrac{1}{a-b} \cdot b$.   ◀

(d) $\dfrac{a}{a} = a \cdot \dfrac{1}{a} = 1$.   ◀

Qualquer número real pode ser pensado como uma fração, pois

$$a = \frac{a}{1}$$

ATENÇÃO. Por definição, para dividir a por b, pressupõe-se $b \neq 0$. Então, por esta regra do jogo, é proibido dividir por 0.

> É PROIBIDO DIVIDIR POR ZERO.

(B) Igualdade de frações

Uma primeira preocupação é saber quando temos igualdade entre frações. Ou seja, $\frac{a}{b} = \frac{c}{d}$ equivale a que condição? A resposta é:

Sendo $b \neq 0$, $d \neq 0$, tem-se

$$\frac{a}{b} = \frac{c}{d} \quad \text{se e somente se} \quad ad = bc$$

A condição acima é referida como **multiplicação em cruz**, pois sua indicação na igualdade de frações, com traços unindo a e d e b e c, produz uma cruz.

Exemplo 6-2

$$\frac{4}{5} = \frac{12}{15} \quad \text{pois} \quad 4.15 = 5.12$$

Exercício 6-1 Verdadeiro ou falso?

(a) $\dfrac{4}{5} = \dfrac{16}{20}$. (b) $\dfrac{36}{13} = \dfrac{144}{42}$. (c) $\dfrac{-6}{7} = \dfrac{42}{-49}$. (d) $\dfrac{-4}{-9} = \dfrac{36}{81}$.

(e) $\dfrac{a}{1} = a$. (f) $\dfrac{1}{a} = \dfrac{1}{a+1}$. (g) $\dfrac{3x}{6} = \dfrac{x}{2}$. (h) $\dfrac{x+3}{4} = \dfrac{4x+12}{16}$.

Como conseqüência, temos

$$\frac{a}{b} = \frac{ac}{bc} \quad (c \neq 0, b \neq 0)$$

pois, multiplicando em cruz, obtemos a igualdade válida $a(bc) = b(ac)$ ($= abc$). Em palavras:

Uma fração não se altera se multiplicarmos numerador e denominador por um mesmo número não-nulo.

Podemos usar o resultado acima para simplificar uma fração, conforme se exemplifica a seguir:

Exemplo 6-3

(a) $\dfrac{28}{21} = \dfrac{4.7}{3.7} = \dfrac{4}{3}$.

(b) $\dfrac{32}{64} = \dfrac{1.32}{2.32} = \dfrac{1}{2}$.

Exercício 6-2 Simplifique:

(a) $\dfrac{49}{42}$. (b) $\dfrac{18}{42}$. (c) $\dfrac{18}{54}$. (d) $\dfrac{54}{33}$. (e) $\dfrac{18}{72}$. (f) $\dfrac{8}{40}$.

(C) Regra de sinais para frações

As regras de sinal facilmente nos fornecem as seguintes:

Regras de sinal para o quociente.

(a) $\dfrac{-b}{a} = \dfrac{b}{-a} = -\dfrac{b}{a}$

(b) $\dfrac{-b}{-a} = \dfrac{b}{a}$

Vejamos como obter uma delas:

$$\frac{-b}{a} = (-b)\frac{1}{a} = -(b.\;\frac{1}{a}) = -\frac{b}{a}$$

onde na primeira igualdade usamos a definição de quociente, na segunda a regra de sinais, e na terceira novamente a definição de quociente.

Exemplo 6-4

(a) $\dfrac{-3}{5} = \dfrac{3}{-5} = -\dfrac{3}{5}.$ ◄

(b) $\dfrac{-5}{-7} = \dfrac{5}{7}.$ ◄

Exercício 6-3 Verdadeiro ou falso?

(a) $\dfrac{-4}{5} = -\dfrac{8}{10}.$ (b) $\dfrac{-14}{-5} = \dfrac{42}{15}.$ (c) $\dfrac{-1}{5} = \dfrac{10}{50}.$ (d) $\dfrac{4ab}{-2} = \dfrac{8(-ab)}{4}.$

(D) Soma de frações

Para descobrir como somar frações com mesmo denominador, observemos que

$$\frac{a}{c} + \frac{b}{c} = a.\frac{1}{c} + b.\frac{1}{c} = (a+b).\frac{1}{c} = \frac{a+b}{c}$$

onde usamos, sucessivamente, a definição de divisão, a propriedade distributiva, e novamente a definição de divisão. Portanto:

Para somar frações de mesmo denominador, basta somar os numeradores.

Exemplo 6-5

(a) $\dfrac{19}{4} + \dfrac{6}{4} = \dfrac{19+6}{4} = \dfrac{25}{4}.$ ◄

(b) $\dfrac{2}{12} + \dfrac{8}{12} = \dfrac{2+8}{12} = \dfrac{10}{12} = \dfrac{2.5}{2.6} = \dfrac{5}{6}.$ ◄

É curioso o fato de haver uma tendência de se achar que essa regra deve valer mesmo quando os denominadores são diferentes. Pior ainda, para somar duas frações, alguns acham que se deve somar os numeradores, somar os denominadores, e dividir um pelo outro. Isto não vale:

$$\frac{3}{1} + \frac{5}{1} \neq \frac{3+5}{1+1}$$

pois o primeiro membro vale 8, e o segundo vale 8/2 = 4.

Como fazer então para somar frações de denominadores não necessariamente iguais? Muito simples. Basta escrever as frações com o mesmo denominador, o que se consegue facilmente, e aí aplicar a regra acima. Ilustremos:

Exemplo 6-6

$$\frac{3}{5}+\frac{4}{7}=\frac{3.7}{5.7}+\frac{4.5}{7.5}=\frac{3.7+4.5}{5.7}=\frac{41}{35}$$

Em geral, procedendo da mesma forma, chega-se a

$$\frac{a}{b}+\frac{c}{d}=\frac{ad+bc}{bd} \qquad (b\neq 0, d\neq 0)$$

A seguir destacaremos as propriedades vistas, acrescentando o caso de diferença de frações:

(a) $\dfrac{a}{c} \pm \dfrac{b}{c} = \dfrac{a\pm b}{c}$ $\qquad (c\neq 0)$

(b) $\dfrac{a}{b} \pm \dfrac{c}{d} = \dfrac{ad\pm bc}{bd}$ $\qquad (b\neq 0, d\neq 0)$

Nas fórmulas acima, se for usado + no primeiro membro, deve-se usar + no segundo membro, e se for usado – no primeiro, deve-se usar – no segundo.

Exercício 6-4 Efetue:

(a) $\dfrac{4}{5}+\dfrac{6}{5}$. (b) $\dfrac{2}{9}+\dfrac{8}{9}$. (c) $\dfrac{7}{5}-\dfrac{3}{5}$. (d) $-\dfrac{4}{7}+\dfrac{10}{7}$.

(e) $\dfrac{4}{5}+\dfrac{5}{3}$. (f) $\dfrac{4}{5}-\dfrac{5}{3}$. (g) $-\dfrac{17}{5}+\dfrac{5}{8}$. (h) $-\dfrac{9}{8}-\dfrac{6}{7}$.

(i) $2+\dfrac{1}{4}$. (j) $-3+\dfrac{5}{4}$. (l) $4-\dfrac{6}{7}$. (m) $-2-\dfrac{3}{2}$.

Para somar frações com denominadores diferentes, costuma-se, em vez de usar diretamente a fórmula (b) acima destacada, transformar as frações em frações com mesmo denominador, e em seguida aplicar a fórmula (a). Esta transformação pode ser feita de infinitas maneiras, mas procede-se com maior economia possível, conforme explicaremos a seguir, com um exemplo.

Exemplo 6-7   Para efetuar a soma

$$\frac{4}{5}+\frac{3}{10}+\frac{1}{6}$$

tentaremos multiplicar numerador e denominador de cada fração por um mesmo número (que varia em geral para cada fração), a fim de não alterá-la, com o objetivo de obter um denominador comum. Para isso, consideramos os múltiplos dos denominadores:

múltiplos de 5:   5, 10, 15, 20, 25, **30**, 35, 40, 45,...
múltiplos de 10: 10, 20, **30**, 40, 50, 60,...
múltiplos de 6 : 6,12,18,24,**30**,36,42,...

Vemos que 30 é o menor múltiplo comum de 5, 10 e 6, ou, como se diz, 30 é o mínimo múltiplo comum (mmc) desses números. Adotamos 30 como denominador comum. Para saber qual número devemos multiplicar numerador e denominador da primeira fração, dividimos 30 pelo denominador 5, para obter 6. Escrevemos

$$\frac{4}{5} = \frac{4.6}{5.6} = \frac{24}{30}$$

Analogamente, escrevemos

$$\frac{3}{10} = \frac{3.3}{10.3} = \frac{9}{30} \qquad \frac{1}{6} = \frac{1.5}{6.5} = \frac{5}{30}$$

e assim,

$$\frac{4}{5} + \frac{3}{10} + \frac{1}{6} = \frac{24}{30} + \frac{9}{30} + \frac{5}{30} = \frac{24+9+5}{30} = \frac{38}{30} = \frac{19}{15} \quad \triangleleft$$

Em geral,

Sendo $a_1, a_2, \ldots, a_n$ números inteiros positivos, o **mínimo múltiplo comum** (mmc) desses números é o menor múltiplo comum dos mesmos.

Exercício 6-5

(a) Se b é divisível por a, b e a inteiros positivos, então o mmc desses números é a. Verifique isto.
(b) Calcule o mmc de 300 e 300 000 000 000.

Para achar o mmc na prática, procede-se de outra maneira. Para ver isso, recordemos o seguinte:

Um número inteiro positivo é chamado de **primo** se for diferente de 1, e se os únicos divisores dele são 1 e ele próprio.

Os primeiros dez primos positivos são 2,3,5,7,11,13,17, 19, 23 e 29.

Teorema Fundamental da Aritmética. Qualquer número inteiro positivo maior que 1 tem uma única decomposição (a menos da ordem dos fatores) como produto de números primos, chamada **decomposição prima** do número.

Exemplo 6-8 As decomposições seguintes são decomposições primas:

(a) $18 = 2.3^2$

(b) $35 = 5.7$

(c) $120 = 2^3.3.5$.

Para achar a decomposição prima de um número inteiro positivo, divide-se o mesmo por 2 (primeiro primo), quantas vezes for possível a divisão exata, e o quociente é dividido por 3(o número primo seguinte) quantas vezes for possível a divisão exata, e assim por diante, até se obter um quociente primo. Um dispositivo prático é mostrado a seguir, em um exemplo.

Exemplo 6-9 Achar a decomposição prima de 13 500.

Resolução. As sucessivas divisões pelos primeiros primos referidas acima são dispostas como segue:

13 500	2
6 750	2
3 375	3
1 125	3
375	3
125	5
25	5
5	5
1	

Portanto, a decomposição prima procurada é

$$13\ 500 = 2.2.3.3.3.5.5.5 = 2^2.3^3.5^3$$

Vejamos agora como obter o mmc de dois números, conhecidas suas decomposições primas, sempre com um exemplo, para que as coisas fiquem claras.

Exemplo 6-10 Obtenha o mmc dos números 60 e 490.

Resolução. Com o processo acima, chega-se a

$$60 = 2^2.3.5 \qquad 490 = 2.5.7^2$$

Então o mmc de 60 e 490 é o produto dos fatores primos comuns e não comuns, afetados de seus maiores expoentes. No caso, este mmc é $2^2.3.5.7^2 = 2940$. Um dispositivo prático para determinar este mmc é o seguinte:

$$\begin{array}{rr|r}
60, & 490 & 2 \\
30, & 245 & 2 \\
15, & 245 & 3 \\
5, & 245 & 5 \\
1, & 49 & 7 \\
1, & 7 & 7 \\
1, & 1 &
\end{array}$$

O mmc de 60 e 490 é o produto dos fatores que aparecem à direita. Para obtê-los, você vai dividindo pelos primos ambos os números, sendo que quando um número não for divisível pelo primo, ele é repetido. O processo termina quando aparece pela primeira vez uma linha formada só pelo número 1. ◄

Exemplo 6-11 Obter o mmc dos números 5, 10 e 6 (veja o Exemplo 6-7).

Resolução. Usando o dispositivo prático referido no exemplo anterior, vem:

$$\begin{array}{r|r}
5, 10, 6 & 2 \\
5, 5, 3 & 3 \\
5, 5, 1 & 5 \\
1, 1, 1 &
\end{array}$$

O mmc de 5, 10 e 6 é $2.3.5 = 30$, que foi obtido anteriormente. ◄

Exercício 6-6 Efetue:

(a) $\dfrac{2}{3} + \dfrac{4}{15}$. (b) $\dfrac{5}{12} - \dfrac{7}{18}$. (c) $\dfrac{2}{3} + \dfrac{1}{4} - \dfrac{1}{5}$. (d) $\dfrac{10}{3} - \dfrac{3}{10} + \dfrac{1}{5} - \dfrac{3}{4}$.

(E) Produto de frações

Aprenderemos agora a multiplicar frações.

Se $b \neq 0$ e $d \neq 0$, então

$$\frac{a}{b} \cdot \frac{c}{d} = \frac{ac}{bd}$$

Em palavras:

Para multiplicar duas frações, multiplicam-se os numeradores e os denominadores.

Exemplo 6-12

(a) $\dfrac{2}{3} \cdot \dfrac{5}{7} = \dfrac{2.5}{3.7} = \dfrac{10}{21}$.

(b) $\dfrac{-3}{4} \cdot \dfrac{9}{4} = -\dfrac{3}{4} \cdot \dfrac{9}{4} = -\dfrac{3.9}{4.4} = -\dfrac{27}{16}$.

(c) $3 \cdot \dfrac{5}{7} = \dfrac{3}{1} \cdot \dfrac{5}{7} = \dfrac{3.5}{1.7} = \dfrac{15}{7}$.

(d) $2 \cdot (-\dfrac{5}{9}) = -2 \cdot \dfrac{5}{9} = -\dfrac{2}{1} \cdot \dfrac{5}{9} = -\dfrac{10}{9}$.

Exercício 6-7 Efetue:

(a) $\dfrac{3}{7} \cdot \dfrac{6}{5}$.

(b) $\dfrac{8}{7} \cdot \dfrac{6}{7}$.

(c) $\dfrac{1}{7} \cdot \dfrac{6}{-15}$.

(d) $\dfrac{-2}{7} \cdot \dfrac{6}{-15}$.

(e) $\dfrac{-2}{7} \cdot \dfrac{-2}{-15}$.

(f) $\dfrac{-2}{-5} \cdot \dfrac{-21}{-15}$.

(g) $-\dfrac{12}{7} \cdot \dfrac{6}{-1}$.

(h) $(-\dfrac{-3}{7}) \cdot \dfrac{6}{-17}$.

(i) $(-\dfrac{3}{7}) \cdot (-\dfrac{6}{5})$.

(j) $5(-\dfrac{3}{7})$.

(l) $-7(\dfrac{5}{-2})$.

(m) $\dfrac{9}{5}(-7)$.

(n) $\dfrac{-8}{5}(-6)$.

(o) $\dfrac{1}{6} \cdot \dfrac{1}{15}$.

(p) $(-\dfrac{1}{4})(-\dfrac{1}{5})$.

(F) Quociente de frações

Aprenderemos agora a dividir frações.

Se $b \neq 0$, $d \neq 0$ e $c \neq 0$, então

$$\frac{\dfrac{a}{b}}{\dfrac{c}{d}} = \frac{a}{b} \cdot \frac{d}{c}$$

Portanto,

Para dividir uma fração pela outra, deve-se multiplicar a primeira pela fração obtida da segunda permutando numerador e denominador.

Exemplo 6-13

(a) $\dfrac{\dfrac{2}{3}}{\dfrac{7}{8}} = \dfrac{2}{3} \cdot \dfrac{8}{7} = \dfrac{16}{21}$. ◀

(b) $\dfrac{\dfrac{-6}{5}}{\dfrac{9}{10}} = \dfrac{-6}{5} \cdot \dfrac{10}{9} = \dfrac{-60}{45} = -\dfrac{60}{45}$. ◀

Exercício 6-8 Efetue:

(a) $\dfrac{\dfrac{12}{10}}{\dfrac{5}{9}}$. (b) $\dfrac{\dfrac{-2}{3}}{\dfrac{6}{11}}$. (c) $\dfrac{\dfrac{-2}{7}}{\dfrac{-6}{5}}$. (d) $\dfrac{\dfrac{-1}{3}}{\dfrac{2}{-7}}$.

Para dividir a por b/c, escreve-se $a = a/1$, e procede-se como acima. Assim,

$$\frac{a}{\dfrac{b}{c}} = \frac{\dfrac{a}{1}}{\dfrac{b}{c}} = \frac{a}{1} \cdot \frac{c}{b} = \frac{ac}{b}$$

Para dividir a/b por c, escreve-se $c = c/1$, e procede-se como anteriormente:

$$\frac{\dfrac{a}{b}}{c} = \frac{\dfrac{a}{b}}{\dfrac{c}{1}} = \frac{a}{b} \cdot \frac{1}{c} = \frac{a}{bc}$$

Exercício 6-9 Proceda como acima, nos casos:

(a) $\dfrac{\dfrac{3}{5}}{4}$. (b) $\dfrac{\dfrac{3}{-3}}{8}$. (c) $\dfrac{\dfrac{-13}{-6}}{5}$. (d) $\dfrac{\dfrac{-1}{-6}}{-5}$. (e) $\dfrac{\dfrac{1}{m}}{n}$.

(f) $\dfrac{\dfrac{1}{6}}{11}$. (g) $\dfrac{\dfrac{1}{-6}}{71}$. (h) $\dfrac{\dfrac{1}{6}}{-5}$. (i) $\dfrac{\dfrac{-1}{4}}{7}$. (j) $\dfrac{\dfrac{3}{7}}{3}$.

(G) Potência com expoente inteiro

Estenderemos agora a definição de a^m para m inteiro qualquer.

Seja a um número real não-nulo. Definimos

$$a^0 = 1$$

$$a^{-n} = \frac{1}{a^n}, \; n = 1,2,3,4,\ldots$$

Exemplo 6-14

(a) $3^0 = 1$. ◀

(b) $4^{-2} = \dfrac{1}{4^2} = \dfrac{1}{16}$. ◀

(c) $\left(\dfrac{2}{3}\right)^{-1} = \dfrac{1}{\dfrac{2}{3}} = \dfrac{3}{2}$. ◀

(d) $\left(\dfrac{7}{3}\right)^{-3} = \dfrac{1}{\left(\dfrac{7}{3}\right)^3} = \dfrac{1}{\dfrac{7^3}{3^3}} = \dfrac{3^3}{7^3} = \dfrac{27}{343}$. ◀

As duas últimas ilustrações são casos particulares do seguinte resultado:

Sendo $a \neq 0$ e $b \neq 0$, e n inteiro, tem-se

$$\left(\frac{a}{b}\right)^{-n} = \left(\frac{b}{a}\right)^n = \frac{b^n}{a^n}$$

Em particular,

$$\left(\frac{a}{b}\right)^{-1} = \frac{b}{a}$$

As propriedades formais de potenciação vistas se mantêm :

Regras de potenciação. Sendo a um número real não-nulo, m e n inteiros, tem-se

- $a^{m+n} = a^m a^n$
- $a^{m-n} = \dfrac{a^m}{a^n}$
- $(a^m)^n = a^{mn}$
- $(ab)^n = a^n b^n$
- $\left(\dfrac{a}{b}\right)^n = \dfrac{a^n}{b^n}$

Exemplo 6-15 Como aplicação, provaremos que -1 elevado a um número inteiro par é 1, e elevado a um número inteiro ímpar é -1.

Um número inteiro é par se for da forma $2k$, e ímpar se for da forma $2k+1$, onde k é um inteiro. Assim, os pares são $0, \pm 2, \pm 4, \pm 6,...$, e os ímpares são $\pm 1, \pm 3, \pm 5,...$ Usaremos o fato de que $(-1)^2 = (-1)(-1) = 1$ (Regras de Sinal(§2(C))). Temos

$$(-1)^{2k} = [(-1)^2]^k = [1]^k = 1 \qquad \triangleleft$$

$$(-1)^{2k+1} = (-1)^{2k}(-1) = 1(-1) = -1 \qquad \triangleleft$$

Como consequência, temos:

Se k é um inteiro qualquer,

$$(-a)^{2k} = a^{2k} \qquad \text{e} \qquad (-a)^{2k+1} = -a^{2k+1}$$

De fato, como $-a = (-1)a$, temos $(-a)^{2k} = [(-1)a]^{2k} = (-1)^{2k} a^{2k} = 1 \cdot a^{2k} = a^{2k}$. Deixamos a outra fórmula para você provar.

Exercício 6-10 Efetue:

(a) 6^{-2}. (b) $\left(\dfrac{1}{6}\right)^{-2}$. (c) 4^0. (d) $\left(\dfrac{1}{4}\right)^0$. (e) $\left(\dfrac{1}{4}\right)^{-1}$.

(f) $\left(\dfrac{1}{4}\right)^{-2}$. (g) $\left(\dfrac{3}{4}\right)^{-1}$. (h) $\left(\dfrac{3}{4}\right)^{-2}$. (i) $\left(\dfrac{5}{4}x\right)^{-2}$. (j) $(3x^2)^{-4}$.

(l) $(2x^{-3})^{-4}$. (m) $\left[\left(\dfrac{x}{4}\right)^{-2}\right]^{-1}$. (n) $(1+x^2)^0$. (o) $\left(\dfrac{1/2}{5/2}\right)^{-2}$. (p) $\left(\dfrac{1}{1/5}\right)^{-1}$.

(q) x^3/x^9. (r) $8x^5/x^{12}$. (s) $(-x)^{15}/x^{15}$. (t) $(-x)^3/(-x)^6$. (u) $(-a)^5/a^6$.

Observação. Quando se dá uma definição em geral tem-se algo em mente. Por exemplo, se $a \neq 0$, definimos $a^0 = 1$. Ora, alguém pode perfeitamente perguntar por quê se define assim, e não, digamos $a^0 = 3$. A resposta radical *é assim por que é por definição* não tem cabimento. A idéia que se tem em mente é que as propriedades formais da potenciação com expoentes inteiros positivos se mantenha. Com esse espírito, não temos outra alternativa senão definir a^0 como foi feito. De fato, temos $a^0 = a^{1-1}$. Ora, para preservar a propriedade $a^{m-n} = a^m/a^n$, devemos ter então $a^{1-1} = a/a = 1$. Assim, devemos definir $a^0 = 1$ (para $a \neq 0$). De modo análogo, se $n > 0$ é inteiro, $a^{-n}a^n$ deve ser igual a $a^{-n+n} = a^0 = 1$, se quisermos preservar a propriedade $a^{r+s} = a^r a^s$. Portanto, devemos ter $a^{-n} a^n = 1$, e daí, $a^{-n} = 1/a^n$, como foi definido.

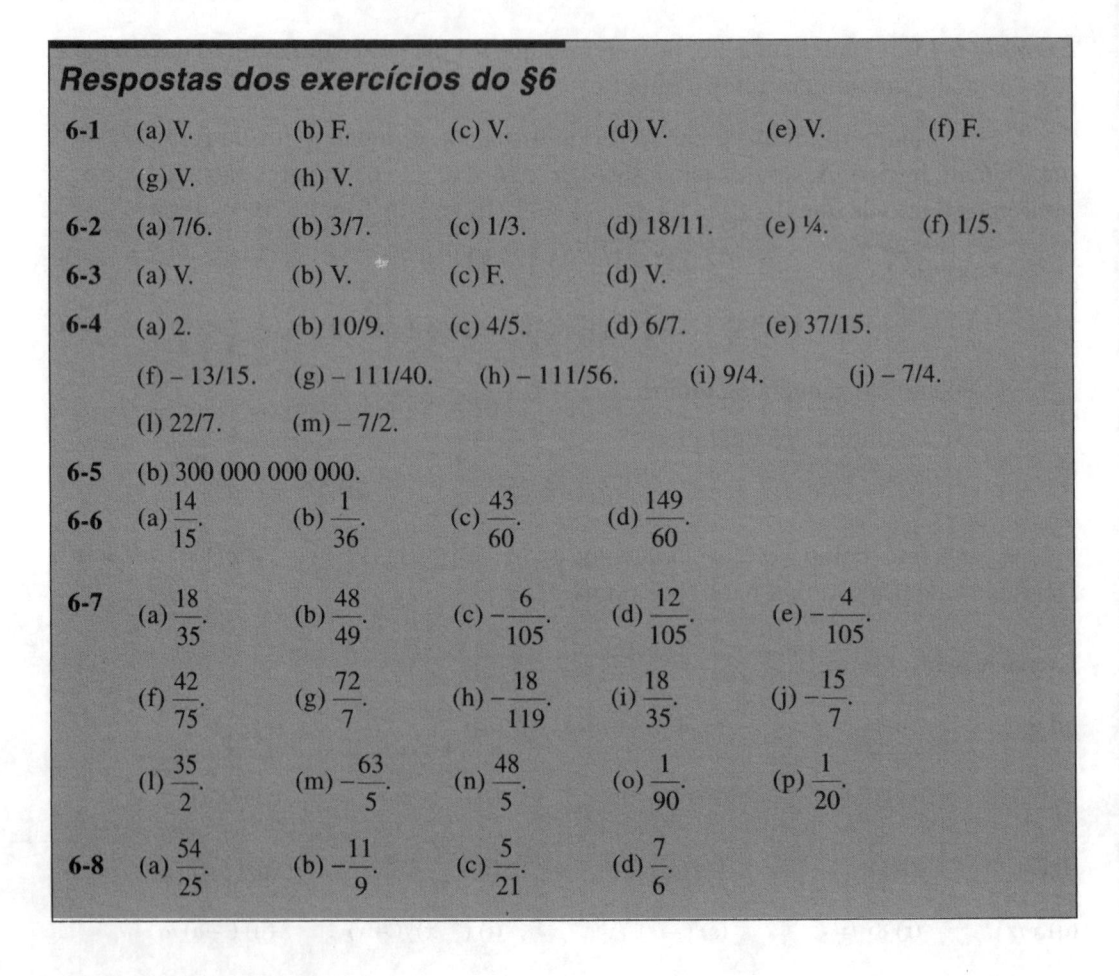

Respostas dos exercícios do §6

6-1 (a) V. (b) F. (c) V. (d) V. (e) V. (f) F.
(g) V. (h) V.

6-2 (a) 7/6. (b) 3/7. (c) 1/3. (d) 18/11. (e) ¼. (f) 1/5.

6-3 (a) V. (b) V. (c) F. (d) V.

6-4 (a) 2. (b) 10/9. (c) 4/5. (d) 6/7. (e) 37/15.
(f) – 13/15. (g) – 111/40. (h) – 111/56. (i) 9/4. (j) – 7/4.
(l) 22/7. (m) – 7/2.

6-5 (b) 300 000 000 000.

6-6 (a) $\dfrac{14}{15}$. (b) $\dfrac{1}{36}$. (c) $\dfrac{43}{60}$. (d) $\dfrac{149}{60}$.

6-7 (a) $\dfrac{18}{35}$. (b) $\dfrac{48}{49}$. (c) $-\dfrac{6}{105}$. (d) $\dfrac{12}{105}$. (e) $-\dfrac{4}{105}$.
(f) $\dfrac{42}{75}$. (g) $\dfrac{72}{7}$. (h) $-\dfrac{18}{119}$. (i) $\dfrac{18}{35}$. (j) $-\dfrac{15}{7}$.
(l) $\dfrac{35}{2}$. (m) $-\dfrac{63}{5}$. (n) $\dfrac{48}{5}$. (o) $\dfrac{1}{90}$. (p) $\dfrac{1}{20}$.

6-8 (a) $\dfrac{54}{25}$. (b) $-\dfrac{11}{9}$. (c) $\dfrac{5}{21}$. (d) $\dfrac{7}{6}$.

6-9 (a) $\dfrac{12}{5}$. (b) -8. (c) $\dfrac{65}{6}$. (d) $-\dfrac{5}{6}$. (e) $\dfrac{n}{m}$.

(f) $\dfrac{11}{6}$. (g) $-\dfrac{71}{6}$. (h) $-\dfrac{5}{6}$. (i) $-\dfrac{7}{4}$. (j) $\dfrac{1}{7}$.

6-10 (a) 1/36. (b) 36. (c) 1. (d) 1. (e) 4.

(f) 16. (g) 4/3. (h) 16/9. (i) $16/25x^2$. (j) $1/81x^8$.

(l) $x^{12}/16$. (m) $x^2/16$. (n) 1. (o) 25. (p) 1/5.

(q) $1/x^6$. (r) $8/x^7$. (s) -1. (t) $-1/x^3$. (u) $-1/a$.

Capítulo 2

Expressões Algébricas

§7- Expressões polinomiais
    (A)   Identidade e equação
    (B)   Identidades envolvendo adição e subtração
    (C)   Identidades envolvendo produto
    (D)   Identidades envolvendo divisão
    (E)   Fatoração

§8- Expressões racionais
    (A)   Adição e subtração
    (B)   Produto e quociente

§7- EXPRESSÕES POLINOMIAIS

(A) Identidade e equação

É muito importante que você entenda bem a diferença entre equação e identidade, que passamos a explicar.

    Dada uma expressão onde figura apenas uma letra, digamos x, à qual nos referiremos como **expressão em x**, o conjunto dos números reais x para os quais se podem efetuar as operações indicadas na expressão é chamado de **domínio da expressão**. Uma expressão numérica será considerada uma expressão em x de domínio $\mathbb{R}$.

Exemplo 7-1

(a) O domínio da expressão

$$\frac{1}{x-1}$$

é o conjunto dos x reais diferentes de 1. ◄

(b) O domínio da expressão $2x - 1$ é o conjunto $\mathbb{R}$ dos números reais. ◄

Dada uma igualdade onde em cada membro se tem uma expressão em x, consideremos o conjunto dos números reais x que são comuns aos domínios dessas expressões, ou seja, o conjunto dos números reais x para os quais são possíveis de serem realizadas as operações indicadas por ambas expressões. Indiquemos tal conjunto por D.

Exemplo 7-2

(a) No caso da igualdade $2x - 1 = x + 1$, as operações indicadas por ambas expressões $2x - 1$ e $x + 1$ podem ser efetuadas para qualquer x real, logo $D = \mathbb{R}$. O mesmo sucede com a igualdade $(x + 3)^2 = x^2 + 6x + 9$. ◄

(b) Na igualdade

$$\frac{1}{x-1} = \frac{3}{2x-1}$$

D é o conjunto dos números reais diferentes de 1 e de 1/2, pois tais números anulam respectivamente os denominadores do primeiro e segundo membros. No caso da igualdade

$$\frac{1}{x-3} + \frac{1}{x-3} = \frac{2}{x-3}$$

D é o conjunto dos números reais diferentes de 3. ◄

Se a igualdade se verifica para todo x de D, tem-se uma **identidade** (**em** D). Caso contrário, tem-se uma **equação**. Neste último caso, **resolver a equação** significa achar os x de D que a verificam, o conjunto deles sendo chamado de **conjunto-solução** da equação (tal conjunto pode não conter nenhum elemento, que é o caso de não haver solução da equação).

Tais definições podem ser dadas no caso de expressões com mais de uma letra, o que não faremos para não aborrecê-lo.

Para facilitar a exposição, introduziremos a seguinte notação e nomenclatura da teoria dos conjuntos:

- $A - B$ indica o conjunto dos elementos de A que não pertencem a B, chamado **conjunto diferença de A e B**.
- Um conjunto sem elementos é chamado de **conjunto vazio**.

Exemplo 7-3

(a) Para a igualdade $2x - 1 = 4$, tem-se $D = \mathbb{R}$. Tirando o valor de x, chega-se a $x = 5/2$, logo se trata de uma equação, cujo conjunto-solução é $\{5/2\}$. ◄

(b) Para a igualdade $(x + 3)^2 = x^2 + 6x + 9$, tem-se $D = \mathbb{R}$. Como

$$(x + 3)^2 = (x + 3)(x + 3) = x(x + 3) + 3.(x + 3) = x.x + x.3 + 3.x + 3.3 = x^2 + 6x + 9$$

trata-se de uma identidade (em $\mathbb{R}$). ◄

(c) Para a igualdade $1/(x - 1) = 1$, tem-se que $D = \mathbb{R} - \{1\}$. Ela equivale a $1 = = x - 1$, logo a $x = 2$. Portanto, trata-se de uma equação, cujo conjunto-solução é $\{2\}$. ◄

(d) Para a igualdade

$$\frac{1}{x-1} + \frac{1}{x-1} = \frac{2}{x-1}$$

tem-se $D = \mathbb{R} - \{1\}$, logo trata-se de uma identidade, pois vale para todo x de D. ◄

Objetivo e nomenclatura

- No presente parágrafo, vamos estabelecer identidades, utilizando os conhecimentos anteriormente adquiridos sobre números reais. As identidades podem envolver mais do que uma letra, por exemplo, $x(y + x) = xy + x^2$ (neste particular caso, ela vale para quaisquer x e y reais).

- O adjetivo *polinomiais,* que figura no título do parágrafo, pretende dizer que lidaremos apenas com expressões tais como $7x^2 - 6x + 2$ e $4x^2 - 8x + 1$, ditas polinomiais (evitaremos definir aqui a noção de polinômio, porque os matemáticos dão uma noção precisa desse conceito, a qual não cabe neste livro). Podemos dizer, sem compromisso, que uma expressão polinomial é soma de parcelas do tipo ax^n, a real e n natural (se $n = 0$ convenciona-se que ax^n é a). No caso de duas letras x e y é a mesma coisa, o tipo sendo $ax^n y^m$, m natural.

- Os números que multiplicam as potências nas expressões e os que figuram isoladamente são chamados de *coeficientes*. Assim, 7, – 6 e 2 são coeficientes de $7x^2 - 6x + 2$, e 4, – 8 e 1 são coeficientes de $4x^2y - 8x + 1$.

- Cada parcela da expressão polinomial é referida como *termo*. Assim, $7x^2$, $6x$ e 2 são termos de $7x^2 - 6x + 2$. O termo no qual não aparece x é chamado de *termo constante*.

- Os termos ax^n e bx^n são chamados *termos semelhantes*, como por exemplo $4x^5$ e $-9x^5$. No caso de duas letras x e y: os termos $ax^n y^m$ e $bx^n y^m$ são chamados termos semelhantes (por exemplo $3x^2 y^3$ e $12x^2 y^3$). A definição para o caso de mais letras é óbvia.

- A *expressão polinomial nula* é a formada apenas pelo termo constante nulo, e é indicada por 0.

(B) Identidades envolvendo adição e subtração

Exemplo 7-4 Quando temos soma ou diferença de termos semelhantes, podemos usar a propriedade distributiva. Assim, temos as identidades:

$$19x^3 - 34x^3 = (19 - 34)x^3 = -15x^3$$ ◄

$$5x^9 + 12x^9 = (5 + 12)x^9 = 17x^9$$ ◄

$$4x^5 y^6 - 6x^5 y^6 = (4 - 6)x^5 y^6 = -2x^5 y^6$$ ◄

O ideal é evitar a igualdade intermediária nos cálculos acima, ou seja, escrever diretamente o último membro.

Exemplo 7-5 As identidades a seguir envolvem termos não-semelhantes. O cuidado a ser tomado é considerar os termos semelhantes, e efetuar as operações sobre eles.

(a) $(6x^3 + 2x^2 - 3x + 1) + (2x^3 - 4x^2 + 2x - 2) = 8x^3 - 2x^2 - x - 1$. ◄
(b) $(3x^4 - 2x^2 + x - 1) + (x^4 - x^3 + 5x - 12) = 4x^4 - x^3 - 2x^2 + 6x - 13$. ◄
(c) $(x^5 - 3x^2 + 2) - (4x^5 + x^3 - 4x^2 + 2) = x^5 - 3x^2 + 2 - 4x^5 - x^3 + 4x^2 - 2$
$= -3x^5 - x^3 + x^2$.
(d) $23x^5 - 3x^2 + 7y - y^3 + 3 + 9y - 4y^3 + x^5 = 23x^5 + x^5 - 3x^2 + 7y + 9y - y^3 - 4y^3 + 3$
$= 24x^5 - 3x^2 + 16y - 5y^3 + 3$. ◄

(Detalhamos um pouco mais o último caso, colocando termos semelhantes lado a lado, por se tratar de polinômio de duas variáveis, porém o melhor é fazer diretamente, sem esse detalhamento.)

Observação. A maneira de se pedir um procedimento como o do exemplo anterior é dizer "simplifique a expressão". Assim, para simplificar a expressão $5x^2 - y^2 + 3xy - (x^2 + y^2 - 3)$, procedemos como segue:

$$5x^2 - y^2 + 3xy - (x^2 + y^2 - 3) = 5x^2 - y^2 + 3xy - x^2 - y^2 + 3$$
$$= 5x^2 - x^2 - y^2 - y^2 + 3xy + 3 = 4x^2 - 2y^2 + 3xy + 3$$

Exercício 7-1 Simplifique a expressão, em cada caso:
(a) $(5x - 3x^2) + (4 - 5x) - (6x^2 - 4x - 5) + (4 - 4x)$. (b) $-6(x - 1 + x^2) - (5x^2 + x - 2) - 6$.
(c) $4u + 3[u - (2v + 3u) - 3v] - 6v$. (d) $8x^2 - (10 - 5x + x^2) - 3[x - (2 + x^2)]$.

(C) Identidades envolvendo produto

Exemplo 7-6

(a) $3t^2(4t^3 - 12t + 3) = 3t^2.4t^3 + 3t^2.(-12t) + 3t^2.3 = 12t^5 - 36t^3 + 9t^2$. ◀

(b) $(4a + b)(9a - 7b + 2) = 4a(\mathbf{9a - 7b + 2}) + b(\mathbf{9a - 7b + 2})$
$= 4a.9a + 4a.(-7b) + 4a.2 + b.9a + b.(-7b) + b.2$
$= 36a^2 - 28ab + 8a + 9ab - 7b^2 + 2b$
$= 36a^2 - 19ab - 7b^2 + 8a + 2b$. ◀

Você pode, se preferir, dispor os cálculos como uma multiplicação entre números, como segue:

$$
\begin{array}{r}
4t^3 - 12t + 3 \\
3t^2 \\
\hline
12t^5 - 36t^3 + 9t^2
\end{array}
\qquad
\begin{array}{r}
9a - 7b + 2 \\
4a + b \\
\hline
36a^2 - 28ab + 8a \\
9ab - 7b^2 + 2b \\
\hline
36a^2 - 19ab - 7b^2 + 8a + 2b
\end{array}
$$

Exemplo 7-7 Para efetuar $(4x - 8 - 5x^3)(2 - 3x + 4x^2)$, usaremos a disposição prática apresentada acima. Para melhores resultados, colocaremos os termos em ordem decrescente das potências de x, colocando 0 quando a potência não aparece:

$$-5x^3 + 0x^2 + 4x - 8$$
$$\underline{4x^2 - 3x + 2}$$
$$-20x^5 + 0x^4 + 16x^3 - 32x^2$$
$$15x^4 + 0\,x^3 - 12\,x^2 + 24x$$
$$\underline{\qquad\qquad -10x^3 + 0\,x^2 + 8\,x - 16}$$
$$-20x^5 + 15x^4 + 6x^3 - 44x^2 + 32x - 16$$

Exercício 7-2 Efetue:

(a) $(x + 1)(2x - 1)\,4x^2$.
(b) $(2x - 3y)\,4xy$.
(c) $(3x^2 - 4x + 5)(x^2 - 6x + 4)$.
(d) $(x^2 - 6x + 4 + 2x^3)(2 - 3x^2)$.
(e) $(3u - 6v)(u^2 - v^2)$.
(f) $(x^4 + x^3 + x^2 + x + 1)(x - 1)$.

Alguns produtos são considerados dignos de memorização. Eis alguns deles:

Produtos notáveis. Temos as seguintes identidades:

$(x + a)(x - a) = x^2 - a^2$

$(x + a)^2 = x^2 + 2ax + a^2$ $\qquad\qquad (x - a)^2 = x^2 - 2ax + a^2$

$(x + a)^3 = x^3 + 3x^2a + 3xa^2 + a^3$ $\qquad (x - a)^3 = x^3 - 3x^2a + 3xa^2 - a^3$

Observação. Relembremos a nossa convenção. Ao escrever os produtos notáveis acima, estamos subentendendo que se trata de identidades, ou seja, relações válidas para todo x real e todo a real.

Exercício 7-3 Demonstre os produtos notáveis dados acima.

ATENÇÃO. Tendo em vista os resultados acima, devemos notar que, em geral,

$$(x + a)^2 \neq x^2 + a^2$$
$$(x + a)^3 \neq x^3 + a^3$$
$$(x + a)^n \neq x^n + a^n \quad (n > 1)$$

O que queremos dizer, por exemplo, com a frase "em geral, $(x + a)^2 \neq x^2 + a^2$" é que $(x + a)^2 = x^2 + a^2$ não é uma identidade, ou seja, não vale quaisquer que sejam x e a reais. É claro que vale se $a = 0$.

Exercício 7-4 Verifique se são identidades:

(a) $x^2 - 1 = (x - 1)(x + 1)$.
(b) $(x - 4)(x + 4) = x^2 - 16$.

(c) $(2x - 1)(2x + 1) = 4x^2 - 1$.
(d) $9x^2 - 25 = (3x - 5)(3x + 5)$.
(e) $(x + 1)^2 = x^2 + 2x + 1$.
(f) $(x - 2)^2 = x^2 - 4x + 4$.
(g) $(x + 5)^2 = x^2 + x + 25$.
(h) $(x + 3)^2 = x^2 + 3^2$.
(i) $(x + 1)^3 = x^3 + 3x^2 + 3x + 1$.
(j) $(x - 1)^3 = x^3 - 3x^2 + 3x - 1$.
(l) $(x + 4)^3 = x^3 + 12x^2 + 48x + 64$.
(m) $(x - 2)^3 = x^3 - 6x^2 + 12x - 8$.
(n) $(x + 3)^3 = x^3 + 3^3$.
(o) $(x - 5)^3 = x^3 - 5^3$.
(p) $(3x - 1)^2 = 9x^2 - 6x + 1$.
(q) $(4x^2 + 5)^2 = 16x^4 + 40x^2 + 25$.

Exercício 7-5 Resolva a equação, em cada caso:

(a) $(x + 2)^2 = x^2 + 2^2$. (b) $(2x + 3)^2 = (2x)^2 + 3^2$.

Observação. Para aqueles que estão curiosos para saber como se desenvolve $(x + a)^n$, vamos dar uma regra interessante. Por exemplo, para $(x + a)^4$, a primeira parcela é x^4. A segunda é o expoente 4 vezes o produto $x^3 a$ (o expoente de x diminui de uma unidade, e entra a na jogada):

$$(x + a)^4 = x^4 + 4x^3 a + \ldots$$

Agora, você deve multiplicar o coeficiente 4 pelo expoente 3 de x^3, e dividir pelo número de parcelas já escritas, que é 2: 4.3/2 = 6. Este é o novo coeficiente, que vai multiplicar $x^2 a^2$ (o expoente de x diminui de 1, o de a aumenta de 1), para obter a parcela seguinte:

$$(x + a)^4 = x^4 + 4x^3 a + 6x^2 a^2 + \ldots$$

Para obter o coeficiente da parcela seguinte, multiplicamos o coeficiente 6 pelo expoente 2 de x^2, e dividimos pelo número de parcelas já escritas: 6.2/3 = 4. Como antes, o expoente de x diminui, e o de a aumenta. Assim,

$$(x + a)^4 = x^4 + 4x^3 a + 6x^2 a^2 + 4xa^3 \ldots$$

A próxima parcela vai ser a última, e é a^4. A regra se mantém, pois devemos multiplicar 4, o coeficiente anterior pelo expoente 1 de x, e dividir pelo número de parcelas já escritas, que é 4: 4.1/4 = 1. O expoente de x diminui de 1 (fica $x^0 = 1$) e o de a aumenta de 1 (fica a^4):

$$(x + a)^4 = x^4 + 4x^3 a + 6x^2 a^2 + 4xa^3 + a^4$$

Tente você agora:

Exercício 7-6 Desenvolva:

(a) $(x + a)^5$. (b) $(x + a)^6$.

O desenvolvimento da expressão $(x + a)^n$, para $n > 1$ inteiro, conhecida como **Binômio de Newton,** se obtém com a mesma regra acima, e é o seguinte:

$$(x+a)^n = x^n + nx^{n-1}a + \frac{n(n-1)}{2}x^{n-2}a^2 + \frac{n(n-1)(n-2)}{2.3}x^{n-3}a^3 + \ldots$$
$$+ \frac{n(n-1)(n-2)\ldots 2}{2.3.\ \ldots\ (n-1)}xa^{n-1} + a^n$$

Costuma-se usar a seguinte notação:

$0! = 1 \qquad 1! = 1 \qquad 2! = 1.2 = 2 \qquad 3! = 1.2.3 = 6 \qquad 4! = 1.2.3.4 = 24$

e em geral $n! = 1.2.3.4.\ \ldots\ .n$ (lê-se **ene fatorial**). A fórmula acima fica

$$(x+a)^n = x^n + \frac{n}{1!}x^{n-1}a + \frac{n(n-1)}{2!}x^{n-2}a^2 + \frac{n(n-1)(n-2)}{3!}x^{n-3}a^3 + \ldots$$
$$+ \frac{n(n-1)(n-2)\ldots 2}{(n-1)!}xa^{n-1} + a^n$$

(D) Identidades envolvendo divisão

O teorema que fala sobre a divisão de inteiros positivos é o seguinte:

Dados os inteiros positivos a e b, existe um único par ordenado (q,r) de números inteiros tal que $a = bq + r$, com $0 \leq r < b$.

q e r são chamados **quociente** e **resto**, respectivamente, da divisão euclidiana de a por b. Neste contexto, a e b são chamados **dividendo** e **divisor**, respectivamente.

Exemplo 7-8 Se dividirmos 23 por 4 obteremos quociente 5, e resto 3, pois $23 = 4.5 + 3$. ◄

Da igualdade anterior resulta

$$\frac{23}{4} = 5 + \frac{3}{4}$$

Em geral,

$$\frac{\text{dividendo}}{\text{divisor}} = \text{quociente} + \frac{\text{resto}}{\text{divisor}}$$

Para efetuar a divisão praticamente, existe um algoritmo, chamado algoritmo da divisão, que ilustramos com o exemplo a seguir, no qual dividimos 1546 por 54:

$$
\begin{array}{r|l}
1\,546 & 54 \\
466 & 28 \\
34 &
\end{array}
\qquad \therefore \qquad 1\,546 = 54 \cdot 28 + 34
$$

Existe um teorema análogo que diz respeito à divisão de uma expressão polinomial por outra. Para enunciá-lo, introduzimos a seguinte nomenclatura:

Se na expressão polinomial $a_n x^n + a_{n-1} x^{n-1} + \ldots + a_1 x + a_0$ tem-se $a_n \neq 0$, ela é dita ter grau n; n é chamado de **grau** da expressão.

Exemplo 7-9 $2x^3 - 3x - 2$ tem grau 3, $x^4 - 1$ tem grau 4. Uma expressão polinomial constante, isto é, formada apenas pelo termo constante, tem grau 0. ◄

Podemos, agora, formular o seguinte resultado:

Se A e B são expressões polinomiais, $B \neq 0$, então existe um único par (Q, R) de expressões polinomiais tal que tem-se a identidade $A = BQ + R$, com $R = 0$ ou grau de $R <$ grau de B.

Q e R são chamados **quociente** e **resto**, respectivamente, da divisão euclidiana de A por B. Neste contexto, A e B são chamados **dividendo** e **divisor**, respectivamente.

Existe um algoritmo para efetuar a divisão de duas expressões polinomiais, análogo ao da divisão de números. O exemplo a seguir ilustra.

Exemplo 7-10 Para dividir $5x^3 + 4 - 3x$ por $x^2 - x + 1$ podemos proceder de maneira análoga à divisão entre números vista acima. Podemos usar inclusive a mesma disposição prática do processo. Para isso, escreva o dividendo como soma de parcelas de potências decrescentes de x, colocando 0 quando a potência não comparece: $5x^3 + 0x^2 - 3x + 4$. Faça o mesmo com o divisor (no caso ele já se encontra nessa forma): $x^2 - x + 1$. Agora, disponha as expressões como em uma divisão de números.

$$
\begin{array}{r|l}
5x^3 + 0x^2 - 3x + 4 & x^2 - x + 1 \\
\end{array}
$$

- Divida $5x^3$ (primeira parcela do dividendo) por x^2 (primeira parcela do divisor) para obter $5x$ (primeira parcela do quociente):

$$\begin{array}{r|l} 5x^3 + 0x^2 - 3x + 4 & \underline{x^2 - x + 1} \\ & 5x \end{array}$$

- Multiplique $5x$ pelo divisor, mudando o sinal, para obter $-5x^3 + 5x^2 - 5x$, escreva isto abaixo do dividendo para somar com ele:

$$\begin{array}{r|l} 5x^3 + 0x^2 - 3x + 4 & \underline{x^2 - x + 1} \\ \underline{-5x^3 + 5x^2 - 5x} & 5x \\ 5x^2 - 8x & \end{array}$$

- Abaixe o próximo termo do dividendo, a saber 4, obtendo $5x^2 - 8x + 4$.

$$\begin{array}{r|l} 5x^3 + 0x^2 - 3x + 4 & \underline{x^2 - x + 1} \\ \underline{-5x^3 + 5x^2 - 5x} & 5x \\ 5x^2 - 8x + 4 & \end{array}$$

- Repita o processo, com $5x^2 - 8x + 4$ como dividendo. Então dividimos $5x^2$ por x^2 para obter 5, que vai ser a segunda parcela do quociente. Multiplicamos 5 pelo divisor, mudamos o sinal, para obter $-5x^2 + 5x - 5$, que deverá ser escrito abaixo do novo dividendo, para somar com ele:

$$\begin{array}{r|l} 5x^3 + 0x^2 - 3x + 4 & \underline{x^2 - x + 1} \\ \underline{-5x^3 + 5x^2 - 5x} & 5x + 5 \\ 5x^2 - 8x + 4 & \\ \underline{-5x^2 + 5x - 5} & \\ -3x - 1 & \end{array}$$

- Como a expressão obtida $-3x - 1$ tem grau 1, menor que o grau 2 do divisor $x^2 - x + 1$, devemos parar aqui.

Portanto, o quociente é $5x + 5$ e o resto é $-3x - 1$

Observação. O processo de divisão acima nos permite escrever então a identidade em $\mathbb{R}$

$$5x^3 - 3x + 4 = (x^2 - x + 1)(5x + 5) - 3x - 1$$

ou então

$$\frac{5x^3 - 3x + 4}{x^2 - x + 1} = 5x + 5 - \frac{3x + 1}{x^2 - x + 1}$$

Esta última igualdade só vale para os x reais que não anulam os denominadores, ou seja, para todo x tal que $x^2 - x + 1 \neq 0$. Aprenderemos mais tarde (§13(C)) como achar tais x. No caso presente, verifica-se que nenhum x anula o denominador, de modo que a última igualdade é uma identidade em $\mathbb{R}$.

Daremos a seguir um outro exemplo, em que a divisão é exata, isto é, o resto e 0. Desta vez, apresentaremos apenas o dispositivo prático, deixando para você a tarefa de entendê-lo.

Exemplo 7-11 Divida $8x^4 + 16x - 21 - 2x^3 - x^2$ por $2x^2 - 3 + x$.

Resolução.

$$\begin{array}{r|l}
8x^4 - 2x^3 - x^2 + 16x - 21 & \underline{2x^2 + x - 3} \\
\underline{-8x^4 - 4x^3 + 12x^2} & 4x^2 - 3x + 7 \\
-6x^3 + 11x^2 + 16x - 21 & \\
\underline{6x^3 + 3x^2 - 9x} & \\
14x^2 + 7x - 21 & \\
\underline{-14x^2 - 7x + 21} & \\
0 & \\
\end{array}$$

Portanto, o quociente é $4x^2 - 3x + 7$ e o resto é 0.

Observação. De acordo com o resultado acima, podemos escrever a identidade em $\mathbb{R}$

$$8x^4 - 2x^3 - x^2 + 16x - 21 = (2x^2 + x - 3)(4x^2 - 3x + 7)$$

ou, para todo x real tal que $2x^2 + x - 3 \neq 0$

$$\frac{8x^4 - 2x^3 - x^2 + 16x - 21}{2x^2 + x - 3} = 4x^2 - 3x + 7$$

Conforme aprenderemos no §13(C), os valores de x a serem excluídos são 1 e $-3/2$. Assim, a igualdade anterior vale para todo x real diferente de 1 e $-3/2$. Assim, podemos dizer que a igualdade anterior é uma identidade em $R - \{-3/2, 1\}$.

Exercício 7-7 Divida (isto é, dê o quociente e o resto):

(a) $4x^2 - 3x + 6$ por $x + 2$.
(b) $x^2 - 3x + 2$ por $x - 1$.
(c) $x^3 - 3$ por $x^2 + x - 3$.
(d) $x^4 + x^3 + 2x + 15$ por $2x^2 - 6x + 4$.
(e) $11x^4 + 3x^5 + 7x + 9 - 15x^2$ por $x^2 + 2x - 1$.
(f) $64x^6 - 16x^3 + 1$ por $4x^2 - 4x + 1$.

Observação. Pode-se dividir, por exemplo, $6x^4 + y^4 - 13x^2y^2 + x^3y$ por $x^2 - y^2$. Basta escolher uma letra, digamos x, colocar as expressões como soma de parcelas de potências decrescentes de x, e proceder como acima. Nós não nos deteremos nesses casos.

O processo de divisão exposto fica mais simples quando o divisor é da forma $x - a$. Nesse caso, usa-se um dispositivo prático, conhecido como **dispositivo de Briot-Ruffini**, que apresentamos através de um exemplo. Para dividir $x + 2x^4 - 3x^2 - 3$ por $x - 3$, dispomos o dividendo em soma de parcelas de potências decrescentes de x, e dispomos as expressões como na divisão de números, só que agora só escrevemos os coeficientes (os números que multiplicam as potências de x). No caso, o dividendo se escreve $2x^4 + 0x^3 - 3x^2 + x - 3$, os coeficientes sendo 2, 0, -3, 1 e -3. Dispomos os números como segue:

$$\begin{array}{ccccc|c} 2 & 0 & -3 & 1 & -3 & 3 \\ \hline & & & & & \end{array}$$

A seguir, baixamos o primeiro coeficiente, 2, isto é, escrevemos 2 abaixo do 2. Daí multiplicamos esse número pelo número na chave da divisão, isto é, por 3: $2 \cdot 3 = 6$. O número obtido é somado ao segundo coeficiente do dividendo: $6 + 0 = 6$, e o resultado é escrito abaixo desse segundo coeficiente.

```
           ← 2.3 + 0 = 6
    ┌─────────────────────┐
 2   0   -3    1    -3 │  3
 2   6                  │  ↑
    └─────────┬─────────┘
           2.3 →
```

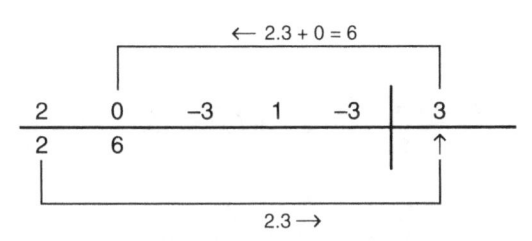

Agora, repetimos o procedimento, começando pelo 6. Multiplicamos 6 pelo número da chave 3, e somamos com – 3, obtendo 15, o qual colocamos abaixo do próximo coeficiente do dividendo, isto é, abaixo do – 3:

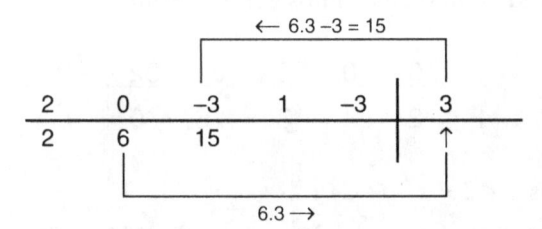

```
              ← 6.3 –3 = 15
       ┌──────────────┐
 2   0   -3    1    -3 │  3
 2   6   15            │  ↑
       └──────┬───────┘
           6.3 →
```

De novo: multiplicamos 15 por 3 e somamos com o coeficiente seguinte 1, para obter 46, que colocamos abaixo desse coeficiente.

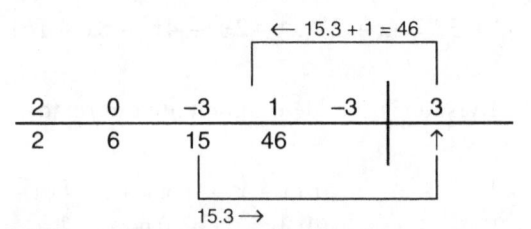

```
                 ← 15.3 + 1 = 46
            ┌──────────┐
 2   0   -3    1    -3 │  3
 2   6   15   46       │  ↑
            └────┬─────┘
              15.3 →
```

Finalmente, a última etapa: multiplicamos 46 por 3 e somamos com – 3, obtendo 135, que deve ser colocado abaixo do – 3. O número 135 é o resto. Veja como fica o dispositivo:

```
              2    0   -3    1   -3 │ 3
              2    6   15   46  135 │
              ↓    ↓    ↓    ↓    ↓
quociente:   2x³ + 6x² + 15x + 46   resto
```

O quociente é obtido através dos números da segunda linha, exceto o último, 135, que é o resto. Deve-se começar com uma potência a menos que a do dividendo. Então o quociente é, conforme indicado acima, $2x^3 + 6x^2 + 15x + 46$. Portanto,

$$2x^4 - 3x^2 + x - 3 = (x - 3)(2x^3 + 6x^2 + 15x + 46) + 135$$

ou, se $x \neq 3$,

$$\frac{2x^4 - 3x^2 + x - 3}{x - 3} = 2x^3 + 6x^2 + 15x + 46 + \frac{135}{x - 3}$$

Exemplo 7-12 Usando o dispositivo de Briot-Ruffini, efetue a divisão de $x^5 + 32$ por $x + 2$, e em seguida escreva $x^5 + 32$ como um produto.

Resolução. Procedendo como ensinamos acima, resulta:

$$\begin{array}{cccccc|c} 1 & 0 & 0 & 0 & 0 & 32 & -2 \\ \hline 1 & -2 & 4 & -8 & 16 & 0 & \end{array}$$

(Note que escrevemos $x + 2 = x - (-2)$.)

Temos que o quociente é $x^4 - 2x^3 + 4x^2 - 8x + 16$, e o resto é 0. ◄

Portanto, podemos escrever

$$x^5 + 32 = (x + 2)(x^4 - 2x^3 + 4x^2 - 8x + 16)$$ ◄

Exercício 7-8 Efetue a divisão (isto é, dê o quociente e o resto), usando o algoritmo de Briot-Ruffini:

(a) De $3x^2 - 2x - 4$ por $x - 3$.
(b) $x^2 + x - 2$ por $x + 2$.
(c) De $x^3 - 2x^2 + 9$ por $x + 2$.
(d) $3x^4 - 7x - 20$ por $x - 2$.
(e) De $10t^3 - 11t^2 - 25t - 9$ por $2t - 5$.
(f) $5s^4 + 21s^3 - s + 17$ por $s + 4$.

Exercício 7-9 Usando o algoritmo de Briot-Ruffini, mostre que as seguintes divisões são exatas, isto é, o resto é nulo. Dê o quociente.

(a) $x^2 - a^2$ por $x - a$.
(b) $x^3 - a^3$ por $x - a$.
(c) $x^4 - a^4$ por $x - a$.
(d) $x^5 - a^5$ por $x - a$.
(e) $x^6 - a^6$ por $x - a$.
(f) $x^n - a^n$ por $x - a$, n inteiro positivo.

(E) Fatoração

Fatorar uma expressão significa escrevê-la como um produto. Veremos alguns casos que nos interessam. As fórmulas que aparecerão nos diversos casos já foram consideradas anteriormente (na exposição ou em exercícios).

Caso 1. $x^2 + 2ax + a^2 = (x + a)^2$

Exemplo 7-13

(a) Para fatorar $4x^2 + 12x + 9$, observemos que $4x^2 = (2x)^2$, e que $9 = 3^2$. Além disso, fazendo aparecer o fator 2 na segunda parcela, temos $12x = 2.6x = 2.2x.3$ e assim,

$$4x^2 + 12x + 9 = (2x)^2 + 2.2x.3 + 3^2 = (2x + 3)^2$$

(b) Para fatorar $36a^2 - 12a + 1$, notemos que $36a^2 = (6a)^2$, $1 = 1^2$, e que $12a = 2.6a = 2.6a.1$, logo,

$$36a^2 - 12a + 1 = (6a)^2 - 2.6a.1 + 1^2 = (6a - 1)^2$$

Exercício 7-10 Fatore:

(a) $9x^2 + 12x + 4$.   (b) $16x^2 - 40x + 25$.   (c) $4 + 28x + 49x^2$.
(d) $1 - 2x^2 + x^4$.   (e) $9x^6 - 6x^3 + 1$.   (f) $x^2 - x + 1/4$.

Caso 2. $x^2 + (m + n)x + mn = (x + m)(x + n)$

Exemplo 7-14 Para fatorar $x^2 + 8x + 12$, devemos achar m e n tais que $mn = 12$ e $m + n = 8$. Tentemos achar m e n inteiros. Como 12 tem fatores 1 e 12, 2 e 6, 3 e 4, vemos que 2 e 6 somam oito, logo tomamos $m = 2$ e $n = 6$. Então,

$$x^2 + 8x + 12 = (x + 2)(x + 6)$$

Exercício 7-11 Fatore:

(a) $x^2 + 3x + 2$.   (b) $x^2 + 4x + 3$.   (c) $x^2 + x - 2$.   (d) $x^2 - 3x + 2$.

Observação. Veremos, no §13(C), como determinar a fatoração de $ax^2 + bx + c$, com $a \neq 0$, sem ter que fazer adivinhação. Adiantamos, para o momento, que ocorre a fatoração em $\mathbb{R}$

$$ax^2 + bx + c = a(x - x_1)(x - x_2) \qquad (a \neq 0)$$

se e somente se $\Delta \geq 0$, onde $\Delta = b^2 - 4ac$. Se $\Delta = 0$, teremos $x_1 = x_2$, caso contrário x_1 e x_2 são distintos. Portanto, se $\Delta < 0$ não se pode fatorar $ax^2 + bx + c$ (com fatores reais). Assim, $4x^2 + 6x + 9$ não pode ser fatorado, pois $\Delta = 6^2 - 4.4.9 = -108 < 0$.

Caso 3. $x^2 - a^2 = (x - a)(x + a)$

Exemplo 7-15 Para fatorar $4x^2 - 9$, escrevemos

$$4x^2 - 9 = (2x)^2 - 3^2 = (2x - 3)(2x + 3)$$

Exercício 7-12 Fatore:

(a) $25x^2 - 4$. (b) $16x^2 - 9$. (c) $36 - x^2$. (d) $x^2 - 1$.
(e) $x^2 - 16$. (f) $64z^2 - 81$. (g) $16 - 49s^2$. (h) $x^2 - y^2$.

Exercício 7-13 Neste exercício, um pequeno truque faz recair na fatoração anterior. Por exemplo, $x^4 - 1 = (x^2)^2 - 1 = (x^2 - 1)(x^2 + 1) = (x - 1)(x + 1)(x^2 + 1)$. Agora é sua vez:

(a) $x^4 - 16$. (b) $1 - 81x^4$. (c) $t^8 - 256$.

Caso 4. $x^3 - a^3 = (x - a)(x^2 + ax + a^2)$

Exemplo 7-16 Para fatorar $8x^3 - 27$, escrevemos

$$8x^3 - 27 = (2x)^3 - 3^3 = (2x - 3)((2x)^2 + 2x.3 + 3^2) = (2x - 3)(4x^2 + 6x + 9)$$

Exercício 7-14 Fatore:

(a) $27x^3 - 8$. (b) $8x^3 - 27$. (c) $125 - x^3$. (d) $x^3 - 1$.
(e) $x^3 - 216$. (f) $1000z^3 - 1$. (g) $1331 - 27s^3$. (h) $x^3 - y^3$.

Exercício 7-15 Fatore $512 - s^9$.

Caso 5. $x^3 + a^3 = (x + a)(x^2 - ax + a^2)$

Este caso pode ser deduzido do anterior, bastando notar que $a^3 = -(-a)^3$, de modo que $x^3 + a^3 = x^3 - (-a)^3 = (x - (-a))(x^2 + (-a)x + (-a)^2) = (x + a)(x^2 - ax + a^2)$.

Exemplo 7-17 Vamos fatorar $8x^3 + 27$:

$$8x^3 + 27 = (2x)^3 + 3^3 = (2x + 3)((2x)^2 - 2x.3 + 3^2) = (2x + 3)(4x^2 - 6x + 9)$$ ◄

Exercício 7-16 Fatore:

(a) $27x^3 + 8$.   (b) $8x^3 + 27$.   (c) $125 + x^3$.   (d) $x^3 + 1$.
(e) $x^3 + 216$.   (f) $1000z^3 + 1$.   (g) $1331 + 27s^3$.   (h) $x^3 + y^3$.

Exercício 7-17 Fatore:

(a) $v^6 + 1$.   (b) $x^{12} + 1$.   (c) $x^9 + 512$.

Observação. Dada uma expressão polinomial, se substituímos x por um número, obtemos um número real, chamado valor da expressão nesse número. Assim, se a expressão é $3x^4 - 2x + 1$, o seu valor em $x = 1$ é $3.1^4 - 2.1 + 1 = 2$. E o seu valor para $x = 0$ é 1, como você pode ver. Um número no qual a expressão se anula é chamado de raiz da expressão polinomial. Assim, 1 é raiz de $2x^3 - 4x + 2$, pois $2.1^3 - 4.1 + 2 = 0$. Ou seja, 1 é raiz da equação $2x^3 - 4x + 2 = 0$. Se a gente conhece uma raiz de uma expressão polinomial, há possibilidade de começar a fatorar a expressão. Nós vamos ver que se c é raiz de A, então a divisão de A por $x - c$ é exata, isto é, tem resto 0. Então, dividimos A por $x - c$, usando, por exemplo, Briot-Ruffini. Antes de justificar, vejamos como funciona em um exemplo.

Exemplo 7-18 Como 1 é raiz de $x^3 - 7x + 6$, pelo que adiantamos acima, tal expressão polinomial é divisível por $x - 1$. Usando o algoritmo de Briot-Ruffini, temos

1	0	-7	6	1
1	1	-6	0	

Portanto, $x^3 - 7x + 6 = (x^2 + x - 6)(x - 1) = (x + 3)(x - 2)(x - 1)$ onde usamos, na última igualdade, o procedimento do caso 2. Isto se tornará fácil quando aprendermos a resolver equação do segundo grau, no §13(C). ◄

Exercício 7-18 Verifique que 2 é raiz de $x^3 - 6x^2 + 11x - 6$ e em seguida fatore esta expressão polinomial.

Para justificar a afirmação feita na observação anterior, vamos dividir a expressão polinomial A por $x - c$. Temos, de acordo com resultado já enunciado na seção anterior, que existem expressões polinomiais Q e R tais que $A = (x - c)Q + R$, sendo $R = 0$ ou (grau de R) < (grau de $(x - c)$) = 1. Então R é constante. Fazendo $x = c$, vemos que a constante R é igual ao valor de A em c. Então, o valor de A em c é 0 (ou seja, c é raiz de A) se e somente se $R = 0$, ou seja, se e somente se $A = (x - c)Q$, conforme queríamos demonstrar.

Respostas dos exercícios do §7

7-1 (a) $-9x^2 + 13$. (b) $2 - 7x - 11x^2$. (c) $-2u - 21v$. (d) $10x^2 + 2x - 4$.

7-2 (a) $8x^4 + 4x^3 - 4x^2$. (b) $8x^2y - 12xy^2$. (c) $3x^4 - 22x^3 + 41x^2 - 46x + 20$.

(d) $-6x^5 - 3x^4 + 22x^3 - 10x^2 - 12x + 8$ (e) $3u^3 - 3uv^2 - 6u^2v + 6v^3$. (f) $x^5 - 1$.

7-4 (a) Sim. (b) Sim. (c) Sim. (d) Sim.

(e) Sim. (f) Sim. (g) Não. (h) Não.

(i) Sim. (j) Sim. (l) Sim. (m) Sim.

(n) Não. (o) Não. (p) Sim. (q) Sim.

7-5 (a) $x = 0$. (b) $x = 0$.

7-6 (a) $x^5 + 5x^4a + 10x^3a^2 + 10x^2a^3 + 5xa^4 + a^5$.

(b) $x^6 + 6x^5a + 15x^4a^2 + 20x^3a^3 + 15x^2a^4 + 6xa^5 + a^6$.

7-7 (a) $4x - 11$ e 28. (b) $x - 2$ e 0.

(c) $x - 1$ e $4x - 6$. (d) $x^2/2 + 2x + 5$ e $24x - 5$.

(e) $3x^3 + 5x^2 - 7x + 4$ e $-8x + 13$. (f) $16x^4 + 16x^3 + 12x^2 + 4x + 1$ e 0.

7-8 (a) $3x + 7$ e 17. (b) $x - 1$ e 0. (c) $x^2 - 4x + 8$ e -7.

(d) $3x^3 + 6x^2 + 12x + 17$ e 14. (e) $5t^2 + 7t + 5$ e 16. (f) $5s^3 + s^2 - 4s + 15$ e -43.

7-9 (a) $x + a$. (b) $x^2 + ax + a^2$. (c) $x^3 + ax^2 + a^2x + a^3$.

(d) $x^4 + ax^3 + a^2x^2 + a^3x + a^4$. (e) $x^5 + ax^4 + a^2x^3 + a^3x^2 + a^4x + a^5$.

(f) $x^{n-1} + ax^{n-2} + a^2x^{n-3} + a^3x^{n-4} + \ldots + a^{n-2}x + a^{n-1}$.

7-10 (a) $(3x + 2)^2$. (b) $(4x - 5)^2$. (c) $(2 + 7x)^2$.

(d) $(1 - x^2)^2$. (e) $(3x^3 - 1)^2$. (f) $(x - 1/2)^2$.

7-11 (a) $(x + 1)(x + 2)$. (b) $(x + 1)(x + 3)$. (c) $(x - 1)(x + 2)$.

(d) $(x - 1)(x - 2)$.

7-12 (a) $(5x - 2)(5x + 2)$. (b) $(4x - 3)(4x + 3)$. (c) $(6 - x)(6 + x)$.

(d) $(x - 1)(x + 1)$. (e) $(x - 4)(x + 4)$. (f) $(8z - 9)(8z + 9)$.

(g) $(4 - 7s)(4 + 7s)$. (h) $(x - y)(x + y)$.

7-13 (a) $(x-2)(x+2)(x^2+4)$. (b) $(1-3x)(1+3x)(1+9x^2)$.

(c) $(t-2)(t+2)(t^2+4)(t^4+16)$.

7-14 (a) $(3x-2)(9x^2+6x+4)$. (b) $(2x-3)(4x^2+6x+9)$. (c) $(5-x)(25+5x+x^2)$.

(d) $(x-1)(x^2+x+1)$. (e) $(x-6)(x^2+6x+36)$. (f) $(10z-1)(100z^2+10z+1)$.

(g) $(11-3s)(121+33s+9s^2)$. (h) $(x-y)(x^2+xy+y^2)$.

7-15 $(2-s)(4+2s+s^2)(64+8s^3+s^6)$.

7-16 (a) $(3x+2)(9x^2-6x+4)$. (b) $(2x+3)(4x^2-6x+9)$. (c) $(5+x)(25-5x+x^2)$.

(d) $(x+1)(x^2-x+1)$. (e) $(x+6)(x^2-6x+36)$. (f) $(10z+1)(100z^2-10z+1)$.

(g) $(11+3s)(121-33s+9s^2)$. (h) $(x+y)(x^2-xy+y^2)$.

7-17 (a) $(v^2+1)(v^4-v^2+1)$. (b) $(x^4+1)(x^8-x^4+1)$.

(c) $(x+2)(x^2-2x+4)(x^6-8x^3+64)$.

7-18 $(x-1)(x-2)(x-3)$.

§8- EXPRESSÕES RACIONAIS

(A) Adição e subtração

É muito simples efetuar o seguinte cálculo:

$$\frac{2}{x^2-1} - \frac{5x^4}{x^2-1} = \frac{2-5x^4}{x^2-1}$$

pois o denominador sendo o mesmo das duas frações, basta subtrair (no caso) os numeradores, conforme já aprendemos. E quando os denominadores são desiguais? Também sabemos como agir, pois como vimos(§6(D)), temos

$$\frac{a}{b} \pm \frac{c}{d} = \frac{ad \pm bc}{bd}$$

Assim, temos

$$\frac{2}{x^2-1} - \frac{5x^4}{x^2+2x+1} = \frac{2(x^2+2x+1)-(x^2-1)(5x^4)}{(x^2-1)(x^2+2x+1)}$$

Quando se trata de soma de números racionais, vimos que este procedimento não apresenta um resultado mais simples. O nosso procedimento foi de achar o mmc dos denominadores, para ser o denominador comum. Quando se trata de expressões como anteriores, o procedimento é análogo, havendo um paralelo muito forte entre expressões desse tipo, ditas racionais, e números racionais.

Exemplo 8-1 Efetue

$$\frac{2}{x^2-1} - \frac{5x^4}{x^2+2x+1}$$

Resolução. Inicialmente, tentamos fatorar os denominadores:

$$x^2 - 1 = (x-1)(x+1) \qquad x^2 + 2x + 1 = (x+1)^2$$

Cada fator encontrado, por não poder ser mais fatorado, é chamado de **irredutível**, e faz o papel de fator primo na decomposição de um número inteiro (um fator irredutível não é necessariamente da forma $x + a$; por exemplo, $x^2 + 1$ é irredutível, pois não pode ser fatorado em R, como aprendemos no parágrafo anterior). Vamos agora achar o mínimo múltiplo comum (mmc) de $x^2 - 1$ e $x^2 + 2x + 1$. Continuando com a analogia, devemos tomar os fatores irredutíveis comuns e não comuns, afetados de seus maiores expoentes, e multiplicá-los, para obter o mmc. Detalhemos isto.

• Fatores irredutíveis não-comuns dos denominadores $x^2 - 1$ e $x^2 + 2x + 1$: só existe um, que é $x - 1$, o qual está afetado do expoente 1 (quer dizer, está elevado a 1). Portanto, devemos tomar $x - 1$ para construir o mmc.

• Fatores irredutíveis comuns dos denominadores $x^2 - 1$ e $x^2 + 2x + 1$: só existe um, que é $x + 1$. Ele aparece com expoente 1 como fator de $x^2 - 1$, e com expoente 2 como fator de $x^2 + 2x + 1$. Portanto, esse fator, afetado do maior expoente, é $(x + 1)^2$. Portanto, devemos tomar $(x + 1)^2$ para construir o mmc.

• O mmc dos denominadores $x^2 - 1$ e $x^2 + 2x + 1$ é então $(x - 1)(x + 1)^2$. Este será o denominador comum.

Procedemos como no caso de números racionais. Examinemos cada parcela separadamente:

$$\frac{2}{x^2-1} = \frac{2}{(x-1)(x+1)} = \frac{2(x+1)}{(x-1)(x+1)^2}$$

O que fizemos foi multiplicar numerador e denominador por $x + 1$, justamente o fator necessário para fazer aparecer o mmc no denominador. Você pode também proceder assim. Escreva o mmc no denominador da última fração. Dividindo esse mmc pelo denominador da fração do meio, a saber, $(x - 1)(x + 1)$, obtém-se $x + 1$, o fator acima referido.

Repetimos o procedimento com a segunda parcela.

$$\frac{5x^4}{x^2+2x+1} = \frac{5x^4}{(x+1)^2} = \frac{5x^4(x-1)}{(x-1)(x+1)^2}$$

Agora, com as duas parcelas reduzidas ao mesmo denominador, basta somar os numeradores:

$$\frac{2}{x^2-1} - \frac{5x^4}{x^2+2x+1} = \frac{2(x+1)}{(x-1)(x+1)^2} - \frac{5x^4(x-1)}{(x-1)(x+1)^2}$$

$$= \frac{2(x+1)-5x^4(x-1)}{(x-1)(x+1)^2} = \frac{2x+2-5x^5+5x^4}{(x-1)(x+1)^2} \quad \triangleleft$$

Observação. O cálculo acima foi feito separadamente para cada parcela, mas isto deve ser evitado, para não alongar desnecessariamente a resolução. Assim, escreveremos diretamente

$$\frac{2}{x^2-1} - \frac{5x^4}{x^2+2x+1} = \frac{2}{(x-1)(x+1)} - \frac{5x^4}{(x+1)^2} = \frac{2(x+1)}{(x-1)(x+1)^2} - \frac{5x^4(x-1)}{(x-1)(x+1)^2}$$

$$= \frac{2(x+1)-5x^4(x-1)}{(x-1)(x+1)^2} = \frac{2x+2-5x^5+5x^4}{(x-1)(x+1)^2}$$

Exemplo 8-2 Efetue

$$\frac{2}{x} + \frac{1}{x^2} - \frac{x}{x^3-2x^2} + \frac{3}{x^2-2x}$$

Resolução. Fatorando denominadores a expressão fica

$$\frac{2}{x} + \frac{1}{x^2} - \frac{x}{x^2(x-2)} + \frac{3}{x(x-2)}$$

- Fatores irredutíveis comuns dos denominadores: só existe um, que é x. O maior expoente que afeta x é 2, logo tomamos x^2 para formar o mmc dos denominadores.
- Fatores irredutíveis não-comuns dos denominadores: só existe um, que é $x - 2$. O maior expoente que afeta $x - 2$ é 1, logo tomamos $x - 2$ para formar o mmc dos denominadores.
- O mmc dos denominadores é então $x^2(x - 2)$.

Procedendo como no exemplo anterior, de maneira abreviada(esperamos que você entenda as passagens), vem:

$$\frac{2}{x} + \frac{1}{x^2} - \frac{x}{x^2(x-2)} + \frac{3}{x(x-2)} = \frac{2x(x-2)}{x^2(x-2)} + \frac{1(x-2)}{x^2(x-2)} - \frac{x}{x^2(x-2)} + \frac{3x}{x^2(x-2)}$$

$$= \frac{2x^2 - 4x}{x^2(x-2)} + \frac{x-2}{x^2(x-2)} - \frac{x}{x^2(x-2)} + \frac{3x}{x^2(x-2)}$$

$$= \frac{2x^2 - 4x + x - 2 - x + 3x}{x^2(x-2)} = \frac{2x^2 - x - 2}{x^2(x-2)} \quad \blacktriangleleft$$

Exercício 8-1 Efetue:

(a) $\dfrac{3x+1}{x+1} + \dfrac{x^2}{x+1}$.

(b) $\dfrac{x-2}{x+2} - \dfrac{2x-1}{2x+1}$.

(c) $\dfrac{x}{x^2-4} - \dfrac{2}{x^2-5x+6}$.

(d) $\dfrac{x}{x^2+1} - \dfrac{1}{x}$.

(e) $\dfrac{x}{x+3} + \dfrac{x^2}{x^2-9}$.

(f) $\dfrac{2}{x-1} - \dfrac{3}{x+1} + \dfrac{5-x}{1-x^2}$.

(g) $x + 1 + \dfrac{1}{x-1}$.

(h) $\dfrac{2x-6}{x^2-x-2} - \dfrac{x+2}{x^2+4x+3} + \dfrac{x-1}{x^2+x-6}$.

(B) Produto e quociente

Exemplo 8-2 Conforme estudamos no § 6(E) e(F), temos:

(a) $\dfrac{2x-1}{x^2+1} \cdot \dfrac{x}{x+1} = \dfrac{(2x-1)x}{(x^2+1)(x+1)}$.

(b) $\dfrac{\dfrac{2x-1}{x^2+1}}{\dfrac{x}{x+1}} = \dfrac{2x-1}{x^2+1} \cdot \dfrac{x+1}{x} = \dfrac{(2x-1)(x+1)}{(x^2+1)x}$.

Observação. A identidade em (a) é em $R - \{-1\}$, e a identidade em (b) é em $R - \{0\}$. De agora em diante, deixaremos de indicar onde é válida uma identidade, pois estamos interessados apenas em exercitar cálculos.

Vamos aproveitar a ocasião para nos exercitarmos mais em fatoração. Pediremos então que seja efetuada uma operação do tipo acima, porém simplificando-a sempre que possível. No exemplo anterior, não se pode simplificar mais, mas nos seguintes, isto é possível.

Exemplo 8-3

(a) $\dfrac{x^2-16}{x^2+2x+1} \cdot \dfrac{x+1}{x^2-5x+4} = \dfrac{(x-4)(x+4)}{(x+1)^2} \cdot \dfrac{x+1}{(x-1)(x-4)} = \dfrac{x+4}{(x+1)(x-1)}$.

(b) $\dfrac{\dfrac{x^3-1}{x^2+1}}{\dfrac{x^2-1}{x^4+2x^2+1}} = \dfrac{x^3-1}{x^2+1} \cdot \dfrac{x^4+2x^2+1}{x^2-1}$

$= \dfrac{(x-1)(x^2+x+1)}{x^2+1} \cdot \dfrac{(x^2+1)^2}{(x-1)(x+1)} = \dfrac{(x^2+x+1)(x^2+1)}{x+1}$.

Exercício 8-2 Efetue e simplifique:

(a) $\dfrac{x-5}{x^2+5x} \cdot \dfrac{x^2}{25-5x}$. (b) $\dfrac{x^4-a^4}{x-a} \cdot \dfrac{x+a}{x^2+a^2}$. (c) $\dfrac{\dfrac{4x-8}{x+7}}{\dfrac{3x^2-12}{2x^2-98}}$. (d) $\dfrac{x^6-y^6}{x^4-xy^3} \cdot \dfrac{}{y^4+x^3y}$.

Respostas dos exercícios do § 8

8-1 (a) $\dfrac{x^2+3x+1}{x+1}$. (b) $\dfrac{-6x}{(x+2)(2x+1)}$. (c) $\dfrac{x^2-5x-4}{(x-2)(x+2)(x-3)}$.

(d) $-\dfrac{1}{x(x^2+1)}$. (e) $\dfrac{x(2x-3)}{(x-3)(x+3)}$. (f) 0.

(g) $\dfrac{x^2}{x-1}$. (h) $\dfrac{2x^2-15}{(x+1)(x-2)(x+3)}$.

8-2 (a) $-\dfrac{x}{5(x+5)}$. (b) $(x+a)^2$. (c) $\dfrac{8(x-7)}{3(x+2)}$. (d) $\dfrac{y(x^3+y^3)^2}{x}$.

Capítulo 3

O Conjunto dos Números Reais como Corpo Ordenado

§9- Axioma de ordem

§10- Módulo ou valor absoluto

§11- Radiciação
- (A) Raiz n–ésima
- (B) Propriedades

§12- Potência com com expoente racional

§13- Equação quadrática
- (A) Equações na forma incompleta
- (B) A arte de completar quadrados
- (C) Fatoração de uma expressão quadrática. Equação do segundo grau

§14- Equações que recaem em equações quadráticas

§15- Alguns erros a serem evitados

§9- AXIOMA DE ORDEM

Até agora vimos propriedades dos números reais que envolvem igualdade. Para examinar propriedades que envolvem desigualdades, em que intervêm as noções de maior e menor, é interessante termos uma visão geométrica dos números reais. Esta se obtém tomando uma reta, escolhendo um ponto O da mesma (**origem**), e uma unidade de medida. A origem O representa o número 0, e o ponto à direita de O, distante uma unidade de

O, representa o número 1, conforme se ilustra na Figura 9-1. Marcando pontos à direita de O através de sucessivo uso da unidade de medida, obtemos pontos que representam 2, 3, 4, etc. Tomando os simétricos dos pontos em relação a O, teremos os representantes dos números –1, –2, –3, –4, etc. Obtemos uma graduação da reta, como se fosse um termômetro. Uma reta, com uma graduação desse tipo, é referida como **eixo**.

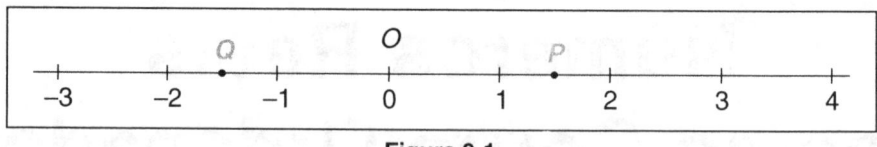

```
        Q           O         P
  +--+--•--+--+--+--+--•--+--+--+
 –3  –2  –1  0   1   2   3   4
```
Figura 9-1

Suporemos todos os números reais representados sobre essa reta. Por exemplo, na referida figura, o ponto P representa 3/2, e o ponto Q representa –3/2. Usaremos a seguinte nomenclatura:

⎰ Se o número real x é representado pelo ponto P, x é chamado **coordenada** de P.
⎱ Diz-se também que ***P* tem coordenada *x***.

Exercício 9-1 Desenhe, em uma reta, os pontos A, B, C, D, E, que representam, respectivamente, os números 5/2, –2, 3/5, –1/4, –5/2. Portanto, usando a nomenclatura introduzida, pede-se que sejam desenhados os pontos A, B, C, D, E de coordenadas 5/2, –2, 3/5, –1/4, –5/2, respectivamente.

Por essa representação, estamos separando o conjunto $\mathbb{R}$ dos números reais em três conjuntos: o conjunto $\{0\}$, o conjunto P dos números representados à direita de O, chamados de números positivos, e o conjunto dos números representados à esquerda de O, chamados de números negativos, cada um sendo o oposto de um número positivo.

A soma e o produto de números positivos é um número positivo. Por exemplo, $2 + 3 = 5$, $2 \cdot 5 = 10$.

Dados os números reais distintos a e b, se o representante A de a está à esquerda do representante B de b, dizemos que a é menor do que b, e indicamos $a < b$, ou, equivalentemente, dizemos que b é maior do que a, e indicamos $b > a$ (Figura 9-2).

```
       a                         b
  -----+-------------------------+-----
```
a é menor do que b: $a < b$
b é maior do que a: $b > a$

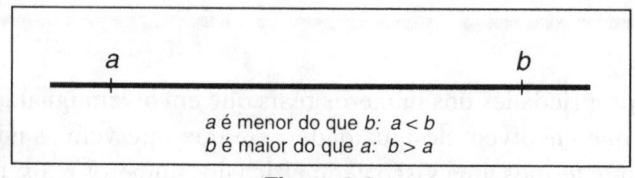

Figura 9-2

De um outro ponto de vista, podemos dizer que $b > a$ significa que $b - a$ é positivo. Em particular, se b é positivo, podemos indicar $b > 0$ (pois $b - 0 = b$ é positivo). Assim,

$$b > a \text{ se e somente se } b - a > 0$$

Do mesmo modo, se b é negativo, podemos indicar $b < 0$, e

$$b < a \text{ se e somente se } b - a < 0$$

Exemplo 9-1 Para decidir se um número é maior ou menor que outro, você pode raciocinar geometricamente ou estudar a sua diferença.

- Do ponto de vista geométrico, podemos concluir que qualquer número negativo é menor do que qualquer número positivo, pois o primeiro está à esquerda do segundo.
- Se você quer decidir se $-1,234$ é maior ou menor do que $-1,235$, basta fazer a diferença:

$$-1,234 - (-1,235) = -1,234 + 1,235 = 0,001 > 0$$

Daí resulta

$$-1,234 > -1,235$$

- Do mesmo modo, para decidir qual dos números $-4,004$ e $-4,002$ é o maior, calculamos

$$-4,004 - (-4,002) = -4,004 + 4,002 = -0,002 < 0$$

logo,

$$-4,004 < -4,002$$

Vamos resumir o que foi dito:

O conjunto $\mathbb{R}$ dos números reais está separado em três conjuntos, $\{0\}$, P e $-P$, onde os elementos de P, chamados de números reais **positivos**, verificam:

Se a e b estão em P, então $a + b$ e ab também estão em P.

O conjunto $-P$ é formado pelos opostos dos números de P. Os elementos de $-P$ são chamados de números reais **negativos**.

Se a e b são números reais quaisquer, $b > a$ (lê-se "b é maior do que a") significa que $b - a$ é positivo. Nesse caso, escreve-se também $a < b$ (lê-se "a é menor do que b")

Exercício 9-2 Complete com o sinal > (maior do que) ou com o sinal < (menor do que):

(a) 3 ..... 5.
(b) –10 ..... –2.
(c)   2..... –1.
(d) 5 ..... 6.
(e) –2 ..... 4.
(f) –200 .....–199.
(g) –100 ..... 20.
(h) –2 ..... –2,5.
(i) –3/2 ..... 0.
(j) 1,49 ....1,5.
(l) 1,3..... –1,3.
(m) –7/2 .....–5/6.

Decorre de propriedades anteriores que:

- O produto de um número positivo por um negativo é um número negativo.
- O produto de um número negativo por um negativo é um número positivo.

Introduzimos a seguinte notação:

$a \geq b$ significa $a > b$ ou $a = b$.

$a \leq b$ significa $a < b$ ou $a = b$.

Assim, $x \geq 0$ significa que $x > 0$ ou $x = 0$. Esta notação causa por vezes estranheza ao aluno, quando usada, por exemplo, do seguinte modo: $2 \geq 0$. Isto está correto, pois o que está expresso é que o número 2 ou é maior do que 0, ou é igual a 0. Claro, a última afirmação não ocorre, mas isto não impede que se escreva $2 \geq 0$.

Convenção. Se $a < x$ e $x < b$, costuma-se combinar isso escrevendo $a < x < b$. Significado análogo têm as expressões $a \leq x \leq b$, $a \leq x < b$, $a < x \leq b$.

Quando aparece um dos símbolos <, >, $\leq$ ou $\geq$, fala-se em **desigualdade**, em contraposição ao caso em que aparece =, quando se fala em igualdade. Assim como na igualdade, fala-se em primeiro membro e segundo membro. Portanto, em $a \leq b$, a é o primeiro membro, e b é o segundo membro.

As desigualdades $a \leq b$ e $c \leq d$, ou quaisquer outras obtidas delas por substituição de um dos símbolos $\leq$ por <, são ditas **de mesmo sentido**. A mesma nomenclatura é usada para $a \geq b$ e $c \geq d$.

Portanto, as desigualdades $x < 3$ e $y \leq 4$ são de mesmo sentido, o mesmo ocorrendo com as desigualdades $x \geq 2$ e $y \geq 3$.

As seguintes propriedades são de fácil verificação:

(a) **Tricotomia.** Sendo a e b números reais, ocorre uma única das possibilidades: $a < b$, $a = b$, $a > b$.

(b) **Transitividade.** Se $a < b$ e $b < c$ então $a < c$.

As seguintes propriedades envolvem desigualdade e soma:

(a) Em uma desigualdade, pode-se somar um mesmo número a ambos os membros.

(b) Desigualdades de mesmo sentido podem ser somadas membro a membro, prevalecendo o sinal < ou > caso eles ocorram.

Exemplo 9-2

(a) De acordo com a propriedade (a), temos:

- Se $a + b < 3$ então $a + b + y < 3 + y$. ◄
- Se $3 + v \geq x$ então $3 + v - z \geq x - z$. ◄

(b) De acordo com a propriedade (b), temos:

Se $a + b < 4$ e $a - 2b < 5$, podemos somar membro a membro essas desigualdades para obter

$$a + b + a - 2b < 4 + 5 \quad \therefore \quad 2a - b < 9 \quad ◄$$

Analogamente, podemos somar membro a membro as desigualdades

$$x + y \geq 3 \quad \text{e} \quad z > 1$$

para obter

$$x + y + z > 3 + 1 \quad \therefore \quad x + y + z > 4 \quad ◄$$

Graças à propriedade (a), podemos passar uma parcela de uma desigualdade de um membro para o outro, desde que mudemos o sinal da parcela, isto é, tomemos o oposto dela. Por exemplo, se $a + b < c$, somando $-b$ a ambos os membros, resulta $a + b - b < c - b$, ou seja, $a < c - $ b. Destaquemos:

Em uma desigualdade, podemos passar uma parcela de um membro para o outro, desde que tomemos seu oposto.

Examinaremos agora propriedades das desigualdades envolvendo produto. Um exemplo nos ajudará a entender. Temos $7 < 12$. Escolhamos um número positivo, digamos 2. Se multiplicarmos ambos os membros, obteremos $2.7 < 2.12$, ou seja, $14 < 24$, o que é verdade. Se tivéssemos escolhido um número negativo, por exemplo -2, teríamos –14 e –24, e como –14 > –24, vemos que a desigualdade muda de sentido. Isto já é um aviso de que não podemos multiplicar uma desigualdade por um número qualquer e esperar que ela mantenha o sentido. Por exemplo, se $x < y$ não podemos escrever $ax < ay$. Eis o resultado correto:

> Se multiplicarmos ambos os membros de uma desigualdade por um número positivo, ela mantém o sentido. Se multiplicarmos por um número negativo, ela muda o sentido.

Vejamos como se pode demonstrar a primeira parte. Não é nosso costume fazer isto, porém no caso isto vai ser esclarecedor. Vamos supor que $a > b$. Isto quer dizer que $a - b > 0$. Então, se $c > 0$, temos que $c(a - b) > 0$, pois o produto de números positivos é um número positivo. Então $ca - cb > 0$. Mas isto quer dizer que $ca > cb$. Ou seja, provamos que se $a > b$ e $c > 0$, então $ac > cb$. É claro que se tivéssemos partido de $a \geq b$, chegaríamos a $ac \geq bc$.

Exercício 9-3 Verdadeiro ou falso? Quaisquer que sejam x, y, z reais tem-se:

(a) Se $x > y$ então $2x > 2y$.
(b) Se $x \leq y$ então $zx \leq zy$.
(c) Se $x < y$ então $x + 3 < y + 3$.
(d) Se $x \leq y$ então $-x \geq -y$.
(e) Se $x < 0$ então $-2x > 0$.
(f) Se $x > 0$ e $y < 0$ então $xy < 0$.

A propriedade anterior nos permite resolver desigualdades tais como $2x < 3$, quer dizer, achar quais x verificam $2x < 3$.

Exemplo 9-4
(a) Resolva a desigualdade $2x < 3$, isto é, determine todos os x tais que $2x < 3$.
(b) Resolva a desigualdade $-2x < 3$.

Resolução.

(a) Multiplicamos, membro a membro, a desigualdade por 1/2 (o inverso de 2), que é positivo, para obter

$$\frac{1}{2}.2x < \frac{1}{2}.3 \quad \therefore \quad x < \frac{3}{2}$$

(b) Para resolver $-2x < 3$, multiplicamos ambos os membros por $-1/2$, que sendo negativo, inverte o sentido da desigualdade:

$$-\frac{1}{2}.(-2x) > -\frac{1}{2}.3 \quad \therefore \quad x > -\frac{3}{2}$$

ATENÇÃO. Ao resolver uma desigualdade do tipo $5x \geq 3 + a$ (a é considerado dado), acontece às vezes que ao se multiplicar por 1/5, apenas o 3 é multiplicado:

$$\frac{1}{5}.5x \geq \frac{1}{5}.3 + a \quad \therefore \quad x \geq \frac{3}{5} + a \qquad \textbf{(ERRADO!)}$$

Você descobriu por que está errado? É que quando se multiplica por 1/5 o segundo membro, deve-se multiplicar todo o segundo membro, e não só a primeira parcela 3. Eis o procedimento correto:

$$\frac{1}{5}.5x \geq \frac{1}{5}.(3+a) \quad \therefore \quad x \geq \frac{3+a}{5}$$

Exemplo 9-5 Resolver $2x + 16 > 8$.

Resolução. Temos $2x > 8 - 16$, ou seja, $2x > -8$, e daí, $x > -4$. ◀

Exercício 9-4 Resolva as desigualdades (na incógnita x):

(a) $7x - 2 > 9$. (b) $-12x + 5 \leq 2$. (c) $3 - 3x > -2$. (d) $4 - x \geq 2x - 5$.
(e) $19x + 5 \geq -3x$. (f) $3 - x + 23 \leq 9$. (g) $ax < -ax + 1$. (h) $ax - 2ax \geq a$.

Pela propriedade anterior podemos escrever que supondo $c > 0$, temos que se $a < b$ então $ac < bc$. Suponha agora que tenhamos $ac < bc$, e que $c > 0$. Será que podemos cancelar c para concluir que $a < b$? Vejamos: a desigualdade $ac < bc$ é equivalente a $ac - bc < 0$, ou seja, a $(a - b)c < 0$. Como $c > 0$, então para que o produto seja negativo devemos ter $a - b < 0$, ou seja, $a < b$. Com raciocínio semelhante pode-se provar que se $ac < bc$ e $c < 0$, o cancelamento de c inverte o sinal da desigualdade. Combinando isto com a propriedade anterior, podemos afirmar que:

- Suponha $c > 0$. Então $a < b$ se e somente se $ac < bc$.
- Suponha $c < 0$. Então $a < b$ se e somente se $ac > bc$.

Respostas dos exercícios do §9

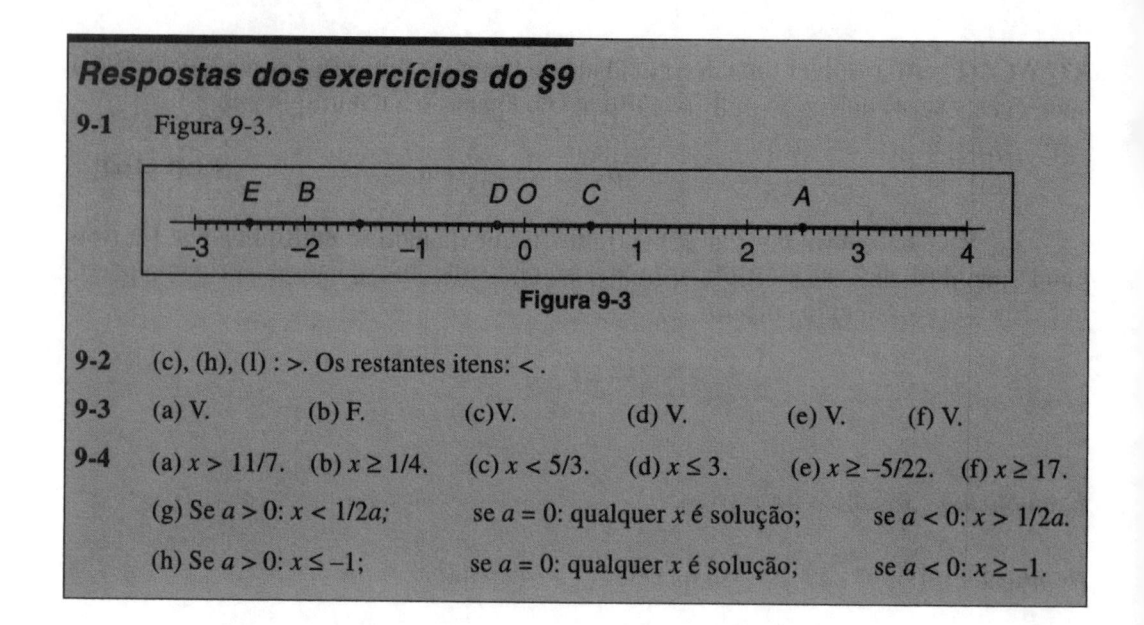

9-1 Figura 9-3.

```
        E   B           D O   C           A
  ┼───┼───┼───┼───┼───┼───┼───┼
 -3      -2      -1      0       1       2       3       4
```
Figura 9-3

9-2 (c), (h), (l) : >. Os restantes itens: <.

9-3 (a) V. (b) F. (c) V. (d) V. (e) V. (f) V.

9-4 (a) $x > 11/7$. (b) $x \geq 1/4$. (c) $x < 5/3$. (d) $x \leq 3$. (e) $x \geq -5/22$. (f) $x \geq 17$.

(g) Se $a > 0$: $x < 1/2a$; se $a = 0$: qualquer x é solução; se $a < 0$: $x > 1/2a$.

(h) Se $a > 0$: $x \leq -1$; se $a = 0$: qualquer x é solução; se $a < 0$: $x \geq -1$.

§10- MÓDULO OU VALOR ABSOLUTO

Vamos apresentar agora a noção de módulo de um número real, também chamado de valor absoluto. A fim de motivar a definição, considere o número 3, e sua representação P na reta (Figura 10-1), ou seja, P é o ponto de coordenada 3.

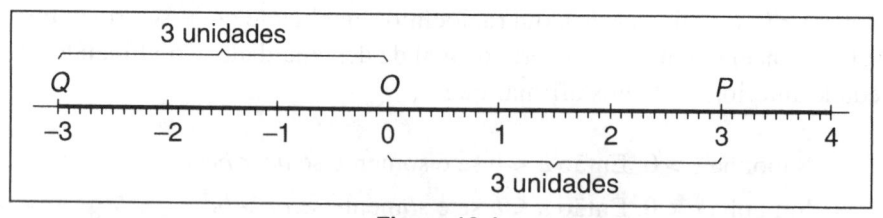

```
           3 unidades
        ⎴⎴⎴⎴⎴⎴⎴⎴⎴⎴
    Q                   O                       P
  ┼───┼───┼───┼───┼───┼───┼───┼
 -3      -2      -1      0       1       2       3       4
                        ⎵⎵⎵⎵⎵⎵⎵⎵⎵⎵
                          3 unidades
```
Figura 10-1

A distância de P à origem O, na unidade de medida da graduação da reta, é 3. Vamos indicar esta distância por $|3|$. Então, $|3| = 3$. Considere agora o ponto Q, que representa o número -3, ou seja, Q é o ponto de coordenada -3. Sua distância à origem O também é 3. Indicamos esta distância por $|-3|$. Assim, $|-3| = 3$. Em geral, se x é um número real, a distância à origem O do ponto que o representa será indicada por $|x|$. Assim, $|7| = 7$, $|-7| = 7$, $|16| = 16$, $|-16| = 16$.

Esses exemplos ilustram o seguinte: se $a \geq 0$, então a distância à origem O do ponto que representa a é a. E se a é negativo, tal distância é $-a$. Esta última afirmação em geral não é bem entendida, porque a gente acha que devido ao sinal $-$, o número $-a$ é negativo. Não! Veja: se $a = -7$, então $-a = -(-7) = 7$. Uma vez esclarecido este ponto, vamos designar pelo símbolo $|a|$ a distância à origem O do ponto que representa a (ou seja, do ponto de coordenada a). Em suma:

$$|a| = \begin{cases} a & \text{se } a \geq 0 \\ -a & \text{se } a < 0 \end{cases} \quad (\clubsuit)$$

$|a|$ recebe o nome de **módulo** ou **valor absoluto** de a.

Exercício 10-1 Calcule:

(a) $|12|$. (b) $|5|$. (c) $|-10|$. (d) $|-15|$. (e) $|-2-0,5|$.

As seguintes propriedades decorrem de ($\clubsuit$):

- $|a| \geq 0$ e $|a| = 0$ se e somente se $a = 0$
- $|ab| = |a| \, |b|$ e se $b \neq 0$, $\left|\dfrac{a}{b}\right| = \dfrac{|a|}{|b|}$
- $|-a| = |a|$
- $|a|^2 = a^2$

$(\blacklozenge)$

Exemplo 10-1 Se $|x| = m$, onde $m \geq 0$, isto quer dizer que o ponto de coordenada x dista m da origem O, ou seja, ou $x = m$ ou $x = -m$.

- Assim, resolver a equação $|x| = 3$ é muito fácil: $x = 3$ ou $x = -3$. Escrevemos, abreviadamente, $x = \pm 3$. O conjunto-solução da equação dada é $\{-3, 3\}$.
- Para resolver a equação $|3x-5| = 4$, escrevemos $3x - 5 = \pm 4$, portanto $3x = \pm 4 + 5$, e daí $x = (\pm 4 + 5)/3$, ou seja, $x = 3$ ou $x = 1/3$.

Exercício 10-2 Resolva a equação, em cada caso:

(a) $|x| = 5$. (b) $|x - 5| = 2$. (c) $|2x - 4| = 6$. (d) $|6 - 3x| = 10$.
(e) $|x| = -2$. (f) $|x| = 2 |-x|$. (g) $|3x + 1| = |x - 2|$. (h) $|(x - 1)(x + 2)| = 0$

Exemplo 10-2 Para resolver a desigualdade |x| < m, onde m é um número positivo, isto é, para achar os valores de x tais que |x| < m, vamos pensar do ponto de vista geométrico. Marquemos os pontos A e B de coordenadas −m e m, respectivamente (Figura 10-2), os quais são simétricos em relação à origem O, e imaginemos x como a coordenada de um ponto P. Então |x| < m quer dizer que P dista menos do que m de O, ou seja, P está entre A e B. Isto quer dizer que −m < x < m.

- Assim, resolve-se a desigualdade |x| < 4 imediatamente, pois ela equivale a − 4 < x < 4.
- Resolvamos agora a desigualdade |5x + 4| < 6. Ela equivale a − 6 < 5x + 4 < 6. Subtraindo − 4 em todos os membros, resulta −10 < 5x < 2 . Dividindo todos os membros por 5 vem, finalmente, −2 < x < 2/5. (Só para ter certeza de que você está entendendo o que está fazendo, reforcemos que resolver a desigualdade |5x + 4| < 6 significa achar todos os x que a verificam. Nós obtivemos a resposta: são aqueles que verificam −2 < x < 2/5.)

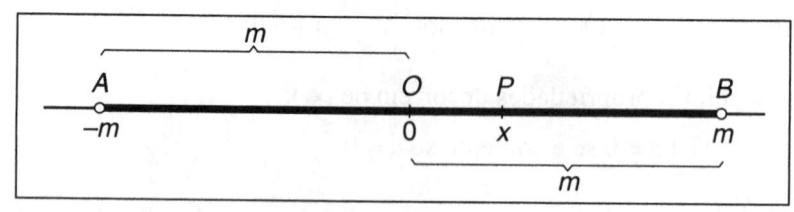

Figura 10-2

Exercício 10-3 Resolva as desigualdades, em cada caso:

(a) |x| < 1. (b) |7x − 4| < 10. (c) |3 + 9x| < 1.
(d) |1−5x| < 4. (e) |x − 2| < −2. (f) |3x + 4| ≤ 2.

Exemplo 10-3 Queremos agora resolver uma desigualdade do tipo |x| > m, m um número positivo. Como no exemplo anterior, marquemos os pontos A e B de coordenadas −m e m, respectivamente (Figura 10-3), os quais são simétricos em relação à origem O, e imaginemos x como a coordenada de um ponto P. Então |x| > m quer dizer que P dista mais do que m de O, ou seja, P está à esquerda de A ou à direita de B. Isto quer dizer que x < −m ou x > m.

```
                    m
         P    A            O                    B
         |    o            |                    o
         x   -m            0                    m
                           _____ _____/
                                      v
                                      m
```
Figura 10-3

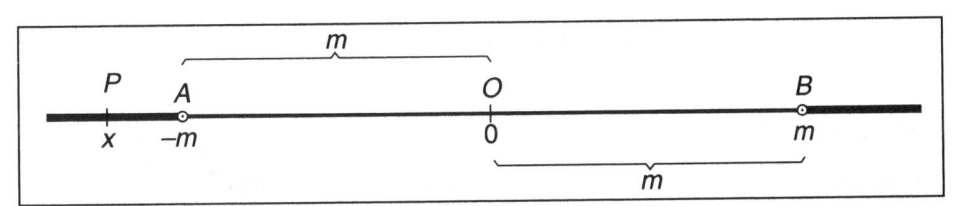

- Assim, resolve-se a desigualdade $|x| > 5$ imediatamente, pois ela equivale a $x < -5$ ou $x > 5$.
- Resolvamos agora a desigualdade $|3x + 4| \geq 6$. Ela equivale a $3x + 4 \leq -6$ ou $3x + 4 \geq 6$. A primeira é equivalente a $x \leq -10/3$ e a segunda a $x \geq 2/3$. Portanto, a desigualdade proposta tem como conjunto-solução o conjunto formado pelos x tais que $x \leq -10/3$ ou $x \geq 2/3$.

Exercício 10-4 Resolva a desigualdade, em cada caso:

(a) $|4x - 4| \geq 2$.   (b) $|x + 5| > 2$.   (c) $|2 - 4x| \geq 3$.   (d) $|x - 3| > -1$.

Registremos os resultados obtidos acima:

Seja $m > 0$. Então:

- $|x| < m$ se e somente se $-m < x < m$.
- $|x| > m$ se e somente se $x < -m$ ou $x > m$.

Estas propriedades podem ser demonstradas a partir da definição de módulo.

Não podemos deixar de mencionar a seguinte importante

Propriedade Triangular. Quaisquer que sejam os números reais a, b e c, tem-se

$$|a + b| \leq |a| + |b|$$

Observação. Se $a = -4$, $b = 1$, temos $|a + b| = |-4 + 1| = |-3| = 3$. Por outro lado, $|a| = |-4| = 4$ e $|b| = |1| = 1$, logo $|a| + |b| = 5$. Como $3 < 5$, vemos que nesse caso particular, temos $|a + b| < |a| + |b|$. Agora você deve estar se perguntando se existe um caso em que $|a + b| = |a| + |b|$. Podemos descobrir quais são esses números. De fato, como os números envolvidos são maiores ou iguais a zero, a última igualdade é equivalente à seguinte: $|a + b|^2 = (|a| + |b|)^2$, ou seja, $|a + b|^2 = |a|^2 + 2|a||b| + |b|^2$. Usando ($\blacklozenge$), temos $(a + b)^2 = a^2 + 2|ab| + b^2$, ou seja, $a^2 + 2ab + b^2 = a^2 + 2|ab| + b^2$, de onde resulta $ab = |ab|$. Por definição de módulo, isto significa que $ab \geq 0$. Assim,

$|a + b| = |a| + |b|$ se e somente se $ab \geq 0$.

Exercício 10-5 Verdadeiro ou falso?

(a) $|a|$ é sempre positivo.
(b) $|a|$ é sempre negativo.
(c) $|a|$ pode ser nulo.
(d) $|a| = a$, para todo a real.
(e) $|abc| = |a||b||c|$, para quaisquer a,b,c reais.
(f) $|ab| < |a||b|$, para quaisquer a,b reais.
(g) $|a + b| = |a| + |b|$, para quaisquer a,b reais.
(h) $|a^2| = |a|^2 = a^2$, para todo a real.
(i) $|(-2) + c| = 2 + |c|$, para todo $c \leq 0$.
(j) $|a - b| \leq |a| - |b|$, para quaisquer a,b reais.

Respostas dos exercícios do §10

10-1 (a) 12. (b) 5. (c) 10. (d) 15. (e) 2,5.

10-2 O conjunto-solução, em cada caso, é:

(a) $\{-5,5\}$. (b) $\{3,7\}$. (c) $\{-1,5\}$. (d) $\{-4/3, 16/3\}$.

(e) conjunto vazio. (f) $\{0\}$ (g) $\{-3/2, 1/4\}$. (h) $\{-2,1\}$.

10-3 (a) $-1 < x < 1$. (b) $-6/7 < x < 2$. (c) $-4/9 < x < -2/9$.

(d) $-3/5 < x < 1$. (e) não existe x. (f) $-2 \leq x \leq -2/3$.

10-4 (a) $x \leq 1/2$ ou $x \geq 3/2$. (b) $x < -7$ ou $x > -3$.

(c) $x \leq -1/4$ ou $x \geq 5/4$. (d) x real qualquer.

10-5 (a) F. (b) F. (c) V. (d) F. (e) V.

(f) F. (g) F. (h) V. (i) V. (j) F.

---

§11- RADICIAÇÃO

(A) Raiz n-ésima

- É dado o número real $b = 16$ e o número par $n = 2$. Qual é o número a que verifica as seguintes duas condições: $a \geq 0$ e $a^2 = 16$? Você já adivinhou que a = 4, pois $4 \geq 0$ e $4^2 = 16$. Indica-se $4 = \sqrt{16}$, e se lê "4 é a raiz quadrada de 16".

Este problema poderia ter um cunho geométrico, se colocado nos seguintes termos: determine o comprimento do lado de um quadrado cuja área vale $b = 16$ metros quadrados. A resposta é: o lado do quadrado mede $a = \sqrt{16} = 4$ metros.

Voltando ao problema inicial, note que existem dois números cujos quadrados valem 16. Eles são 4 e -4 (pois $(-4)^2 = 16$). No entanto, apenas um deles, a saber 4, merece o nome de raiz quadrada de 16, é justamente 4. Em geral, pode-se mostrar que se $b > 0$ é um número real, então existem exatamente dois números reais que elevados ao quadrado dão b. O positivo é chamado de raiz quadrada de b, e é indicado por $\sqrt{b}$. (O outro número é $-\sqrt{b}$.) Portanto, $(\sqrt{b})^2 = b$. Assim, existem dois números cujos quadrados valem 36, que são 6 e -6. O positivo, a saber, 6, é chamado de raiz quadrada de 36, e é indicado por $\sqrt{36}$, ou seja, $6 = \sqrt{36}$. Se $b = 0$, existe um único número que elevado ao quadrado dá 0, que é o próprio 0. Por definição, $\sqrt{0} = 0$.

Exercício 11-1 Determine a raiz quadrada dos seguintes números:

(a) 49.   (b) 81.   (c) 1.   (d) 0.   (e) -1.

Exercício 11-2 Verdadeiro ou falso?

(a) $\sqrt{9} = -3$.   (b) $(\sqrt{9})^2 = 9$.   (c) $\sqrt{9} = \pm 3$.

(d) A raiz quadrada de um número positivo é sempre um número positivo.

(e) Se $b \geq 0$, existem dois números que elevados ao quadrado são iguais a b.

ATENÇÃO. Considere os seguintes problemas:

(1) Determine um número cujo quadrado é 25.

(2) Determine a raiz quadrada de 25.

Para resolver (1), chamamos um número x que resolve o problema, e impomos $x^2 = 25$. Daí, $x^2 - 25 = 0$, isto é, $(x-5)(x+5) = 0$, logo ou $x - 5 = 0$ ou $x + 5 = 0$, de modo que ou $x = 5$ ou $x = -5$. O conjunto-solução é $\{-5, 5\}$.

Resolvamos agora (2). Pede-se para achar $\sqrt{25}$. Conforme aprendemos, $\sqrt{25} = 5$, logo o conjunto-solução desse problema é $\{5\}$.

Esperamos que fique claro que se trata de dois problemas distintos, com soluções distintas. Poderíamos ter resolvido (1) assim: $x^2 = 25$, logo $x = \pm \sqrt{25} = \pm 5$.

Observação. Quando se pergunta quanto dá $\sqrt{x^2}$, a resposta quase sempre é x, ou seja, escreve-se $\sqrt{x^2} = x$. Será que essa igualdade é verdadeira? Vamos experimentar. Se $x = -6$, ela diz que $\sqrt{(-6)^2} = -6$, o que evidentemente está errado, pois $\sqrt{(-6)^2} = \sqrt{36} = 6$. Vamos mostrar que a fórmula correta é

$$\boxed{\sqrt{x^2} = |x|}$$

De fato, $\sqrt{x^2}$ é por definição o único número positivo ou nulo que elevado ao quadrado dá x^2. Como já vimos (parágrafo anterior), $|x|^2 = x^2$ e $|x| \geq 0$, logo $\sqrt{x^2} = |x|$.

Exercício 11-3 Verdadeiro ou falso?

(a) $\sqrt{49} = 7$.
(b) $\sqrt{49}$ pode ser -7.
(c) $\sqrt{|x|^2} = |x|$, para todo x real.
(d) $\sqrt{x^2} = x$, para todo x real.
(e) $\sqrt{x^2} = x$, se $x \geq 0$.
(f) $\sqrt{(x-1)^2} = x-1$, se $x < 1$.

Exercício 11-4 Resolva a equação na incógnita x, em cada caso:

(a) $(2x-1)^2 = 25$.
(b) $(x+2)^2 = a^2$.
(c) $(3x-1)^2 = (x+2)^2$.

- Podemos repetir o que vimos acima, tomando $n = 4$. Por exemplo, se $b = 32$, existem exatamente dois números que elevados à quarta potência dão 32. Eles são 2 e -2, pois $2^4 = 16$ e $(-2)^4 = 16$. O positivo, a saber 2, é chamado raiz quarta de 32, e indicado por $\sqrt[4]{32}$. Assim, $\sqrt[4]{32} = 2$. Estamos agora preparados para receber a seguinte definição:

Seja $b \geq 0$ um número real e $n > 1$ um inteiro par. Chama-se **raiz n-ésima** de b ao número $a \geq 0$ tal que $a^n = b$. Indica-se $a = \sqrt[n]{b}$. b é chamado de **radicando**, $\sqrt{}$ é o **radical**, e n o **índice**.

Quando $n = 2$, não se escreve o índice no radical. Pode-se provar que nas condições acima, existe a raiz n-ésima b, e que se $b > 0$, existem exatamente dois números, a saber, $\sqrt[n]{b}$ e $-\sqrt[n]{b}$, que elevados a n dão b. Se $b = 0$, existe apenas um número, o próprio 0, que elevado a n dá 0. Portanto, $\sqrt[n]{0} = 0$.

Decorre da definição que

$$(\sqrt[n]{b})^n = b$$

Exercício 11-5 Calcule:

(a) $\sqrt[4]{1}$.
(b) $\sqrt[16]{1}$.
(c) $\sqrt[4]{81}$.
(d) $\sqrt[4]{-8}$.

- Dado um número real b qualquer, e sendo $n > 1$ um inteiro ímpar, pode-se provar que existe um único número a tal que $a^n = b$.

Sendo b um número real e $n > 1$ um inteiro ímpar, o único número a tal que $a^n = b$ é chamado de **raiz n-ésima** de b. Indica-se $a = \sqrt[n]{b}$.

Decorre da definição que

$$(\sqrt[n]{b})^n = b$$

Como ilustração, temos:

$$\sqrt[3]{8} = 2, \qquad \text{pois } 2^3 = 8.$$

$$\sqrt[3]{-8} = -2, \qquad \text{pois } (-2)^3 = -8.$$

Exercício 11-6 Calcule:
(a) $\sqrt[3]{27}$. (b) $\sqrt[3]{-27}$. (c) $\sqrt[13]{-1}$. (d) $\sqrt[5]{-32}$. (e) $\sqrt[31]{0}$.

Exercício 11-7 Decomponha 729 em fatores primos, e extraia a raiz sexta de 729, isto é, calcule $\sqrt[6]{729}$.

Exercício 11-8 Decomponha 13824 em fatores primos, e extraia a raiz cúbica desse número.

(B) Propriedades

Valem as seguintes propriedades, para n, p, m inteiros, $n > 1$, $m > 1$:

$$\sqrt[n]{ab} = \sqrt[n]{a}\sqrt[n]{b}$$

$$\sqrt[n]{\frac{a}{b}} = \frac{\sqrt[n]{a}}{\sqrt[n]{b}} \qquad (b \neq 0)$$

$$(\sqrt[n]{a})^m = \sqrt[n]{a^m}$$

$$\sqrt[p]{\sqrt[n]{a}} = \sqrt[pn]{a}$$

com a ressalva de que, se n é par, então $a \geq 0$ e $b \geq 0$, e $a \neq 0$ se $m < 0$.

Exemplo 11-1
(a) $3\sqrt[7]{5} + 2\sqrt[7]{5} - \sqrt[7]{5} = (3 + 2 - 1)\sqrt[7]{5} = 4\sqrt[7]{5}$.
(b) $\sqrt[5]{4} \cdot \sqrt[5]{6} = \sqrt[5]{4 \cdot 6} = \sqrt[5]{24}$.
(c) $\dfrac{\sqrt[7]{36}}{\sqrt[7]{6}} = \sqrt[7]{\dfrac{36}{6}} = \sqrt[7]{6}$.
(d) $(\sqrt[9]{8})^2 = \sqrt[9]{8^2} = \sqrt[9]{64}$.
(e) $\sqrt[3]{\sqrt[4]{2}} = \sqrt[12]{2}$.

Exercício 11-9 Simplifique:
(a) $5\sqrt[5]{4} - 8\sqrt[5]{4}$. (b) $\sqrt[3]{3} \cdot \sqrt[3]{9}$. (c) $\sqrt{320}/\sqrt{5}$. (d) $(\sqrt[4]{9})^2$. (e) $\sqrt{\sqrt[3]{729}}$.

ATENÇÃO. Muitos gostariam de acrescentar às propriedades acima o seguinte:
$\sqrt[n]{a+b} = \sqrt[n]{a} + \sqrt[n]{b}$. **Mas isso é falso.** Em geral,
$$\sqrt[n]{a+b} \neq \sqrt[n]{a} + \sqrt[n]{b}$$

Veja:

$\sqrt{9+16} = \sqrt{25} = 5$ e $\sqrt{9} = 3$, $\sqrt{16} = 4$. Claramente, $\sqrt{9+16} \neq \sqrt{9} + \sqrt{16}$.
$\sqrt[3]{1} + \sqrt[3]{1} = 1+1 = 2$ e $\sqrt[3]{1+1} = \sqrt[3]{2}$. Claramente $2 \neq \sqrt[3]{2}$, ou seja, $\sqrt[3]{1} + \sqrt[3]{1} \neq \sqrt[3]{1+1}$.

Exemplo 11-2 Para facilitar cálculos, às vezes quer-se eliminar radicais que aparecem no denominador de uma fração. Esta operação é conhecida como **racionalização**.

- Para racionalizar $1/\sqrt{2}$, multiplicamos numerador e denominador por $\sqrt{2}$:
$$\frac{1}{\sqrt{2}} = \frac{1}{\sqrt{2}} \cdot \frac{\sqrt{2}}{\sqrt{2}} = \frac{\sqrt{2}}{(\sqrt{2})^2} = \frac{\sqrt{2}}{2}$$

- Para racionalizar $1/(\sqrt{11} + \sqrt{5})$, multiplicamos numerador e denominador por $\sqrt{11} - \sqrt{5}$, chamado de conjugado de $\sqrt{11} + \sqrt{5}$. Lembrando que $a^2 - b^2 = (a-b)(a+b)$, vem:

$$\frac{1}{\sqrt{11}+\sqrt{5}} = \frac{1}{\sqrt{11}+\sqrt{5}} \cdot \frac{\sqrt{11}-\sqrt{5}}{\sqrt{11}-\sqrt{5}} = \frac{\sqrt{11}-\sqrt{5}}{(\sqrt{11})^2 - (\sqrt{5})^2}$$
$$= \frac{\sqrt{11}-\sqrt{5}}{11-5} = \frac{\sqrt{11}-\sqrt{5}}{6}$$

- Queremos racionalizar $1/(\sqrt[3]{x} - \sqrt[3]{2})$. Para obtermos um procedimento para isso, reexaminemos o caso acima. Usamos a relação $a^2 - b^2 = (a-b)(a+b)$. Fazendo $a = \sqrt{11}$ e $b = \sqrt{5}$, vem $(\sqrt{11})^2 - (\sqrt{5})^2 = (\sqrt{11} - \sqrt{5})(\sqrt{11} + \sqrt{5})$, ou seja,
$$6 = (\sqrt{11} - \sqrt{5})(\sqrt{11} + \sqrt{5})$$

de onde resulta,
$$\frac{1}{\sqrt{11}+\sqrt{5}} = \frac{\sqrt{11}-\sqrt{5}}{6}$$

Tentando imitar o processo, partimos, para o caso proposto, da relação $a^3 - b^3 = (a-b)(a^2 + ab + b^2)$ (§7(D)), e fazemos $a = \sqrt[3]{x}$, $b = \sqrt[3]{2}$. Como $a^3 = (\sqrt[3]{x})^3 = x$, $b^3 = (\sqrt[3]{2})^3 = 2$, resulta $x - 2 = (\sqrt[3]{x} - \sqrt[3]{2})((\sqrt[3]{x})^2 + \sqrt[3]{x}\sqrt[3]{2} + (\sqrt[3]{2})^2)$ e daí

$$\frac{1}{\sqrt[3]{x}-\sqrt[3]{2}} = \frac{(\sqrt[3]{x})^2 + \sqrt[3]{x}\cdot\sqrt[3]{2} + (\sqrt[3]{2})^2}{x-2}$$

ou seja,

$$\frac{1}{\sqrt[3]{x}-\sqrt[3]{2}} = \frac{\sqrt[3]{x^2} + \sqrt[3]{2x} + \sqrt[3]{4}}{x-2}$$

Exercício 11-10 Racionalize:

(a) $\dfrac{3}{\sqrt{3}}$. (b) $\dfrac{3}{\sqrt[3]{3}}$. (c) $\dfrac{1}{\sqrt{5}-\sqrt{3}}$. (d) $\dfrac{2}{\sqrt{11}-\sqrt{5}}$.

(e) $\dfrac{2}{\sqrt{11}-1}$. (f) $\dfrac{1}{\sqrt[3]{4}-\sqrt[3]{2}}$. (g) $-\dfrac{5}{\sqrt[3]{3}-2}$. (h) $\dfrac{1}{\sqrt[4]{x}-\sqrt[4]{a}}$.

Exercício 11-11 Diga qual dos dois números é o maior, em cada caso:

(a) $\dfrac{1}{\sqrt{13}-\sqrt{10}}$ e $\dfrac{\sqrt{13}+\sqrt{10}}{2}$. (b) $\dfrac{2}{\sqrt[3]{7}-\sqrt[3]{6}}$ e $\sqrt[3]{49}+\sqrt[3]{42}+\sqrt[3]{36}$.

Para a próxima propriedade, é essencial supor $a > 0$:

Suponhamos $a > 0$. Se q e n são inteiros maiores que 1, tem-se

$$\sqrt[nq]{a^{np}} = \sqrt[q]{a^p}$$

Em palavras, você pode dividir o índice do radicando e o expoente do radicando por um mesmo número inteiro.

Assim, $\sqrt[12]{2^6} = \sqrt[2]{2^1} = \sqrt{2}$ (dividimos 12 e 6 por 6).

$\sqrt[12]{3^{21}} = \sqrt[4]{3^7}$ (dividimos 12 e 21 por 3). Podemos simplificar mais, escrevendo $3^7 = 3^{4+3} = 3^4 \cdot 3^3$, para obter $\sqrt[12]{3^{21}} = \sqrt[4]{3^7} = \sqrt[4]{3^4 \cdot 3^3} = 3\sqrt[4]{27}$.

ATENÇÃO. A hipótese $a > 0$ é essencial, como já dissemos. De fato, $\sqrt[3]{(-2)^3} = \sqrt[3]{-8} = -2$. Multiplicando o índice do radical e o expoente do radicando por 2 temos $\sqrt[6]{(-2)^6} = \sqrt[6]{2^6} = 2$. Portanto, $\sqrt[3]{(-2)^3} \neq \sqrt[6]{(-2)^6}$.

Observação. Se $p > 0$, a propriedade acima vale para $a = 0$, como é imediato verificar.

Exercício 11-12 Simplifique:

(a) $\sqrt[24]{4^{12}}$. (b) $\sqrt[45]{8^{15}}$. (c) $\sqrt[15]{8^{45}}$. (d) $\sqrt[28]{2^{32}}$. (e) $\sqrt[3]{a\sqrt{a}}$.

Respostas dos exercícios do §11

11-1 (a) 7. (b) 9. (c) 1. (d) 0. (e) Não existe.

11-2 (a) F. (b) V. (c) F. (d) V. (e) F.

11-3 (a) V. (b) F. (c) V. (d) F. (e) V. (f) F.

11-4 (a) $\{-2, 3\}$. (b) $\{-2+a, -2-a\}$. (c) $\{-1/4, 3/2\}$.

11-5 (a) 1. (b) 1. (c) 3. (d) Este símbolo não foi definido.

11-6 (a) 3. (b) -3. (c) -1. (d) -2. (e) 0.

11-7 $729 = 3^6$; $\sqrt[6]{729} = 3$.

11-8 $13824 = 2^9 \cdot 3^3 = (24)^3$; $\sqrt[3]{13834} = 24$.

11-9 (a) $-3\sqrt[5]{4}$. (b) 3. (c) 8. (d) 3. (e) 3.

11-10 (a) $\sqrt{3}$. (b) $\sqrt[3]{9}$. (c) $\dfrac{\sqrt{5}+\sqrt{3}}{2}$. (d) $\dfrac{\sqrt{11}+\sqrt{5}}{3}$.

(e) $\dfrac{\sqrt{11}+1}{5}$. (f) $\dfrac{\sqrt[3]{16}+\sqrt[3]{8}+\sqrt[3]{4}}{2}$. (g) $\sqrt[3]{9}+\sqrt[3]{24}+4$.

(h) $\dfrac{\sqrt[4]{x^3}+\sqrt[4]{x^2a}+\sqrt[4]{xa^2}+\sqrt[4]{a^3}}{x-a}$.

11-11 (a) O segundo. (b) O primeiro.

11-12 (a) 2. (b) 2. (c) 512. (d) $\sqrt[7]{256}$. (e) $\sqrt{a}$.

§12- POTÊNCIA COM EXPOENTE RACIONAL

Já vimos o significado de a^n para n inteiro qualquer. Agora vamos estender a noção para n racional qualquer. Sugestivamente, usaremos r em lugar de n, para designar um racional qualquer. Inicialmente, lembremos que $r = p/q$, onde p e q são inteiros, $q \neq 0$. Podemos sempre supor que $q > 0$. Por exemplo, se

$$r = -\frac{3}{2}$$

podemos escrever $r = (-3)/2$. Vamos definir a^r como sendo $\sqrt[q]{a^p}$, ou seja, $a^{p/q} = \sqrt[q]{a^p}$.

Seja $a > 0$ um número real, e r um racional. Escrevendo $r = p/q$, p e q inteiros, $q > 0$, definimos

$$a^r = a^{p/q} = \sqrt[q]{a^p}$$

Observação. Temos um problema aqui, pois podemos escrever r de modos diferentes como quociente de inteiros. Por exemplo, $(-3)/2 = (-12)/8 = (-15)/10$, etc. Então precisamos ter certeza de que independentemente da maneira que escrevermos o número racional, a resposta será sempre a mesma. Ora, para um racional qualquer r, pode-se provar que ele se escreve de modo único na forma p_0/q_0, onde numerador e denominador são inteiros, a fração sendo irredutível, com $q_0 > 0$. Fração irredutível quer dizer que numerador e denominador não apresentam fator comum. Se $r = p/q$ como acima, então existe um inteiro positivo n tal que $p = np_0$, $q = nq_0$. Então, sendo $a > 0$, podemos escrever

$$\sqrt[q]{a^p} = \sqrt[nq_0]{a^{np_0}} = \sqrt[q_0]{a^{p_0}}$$

Isto mostra que a definição é boa, isto é, independe da representação do número racional. Note que supusemos $a > 0$ para poder usar a propriedade acima (último resultado do parágrafo anterior).

Destacaremos o caso particular em que $r = 1/n$, $n > 1$, inteiro:

$$a^{1/n} = \sqrt[n]{a}$$

Ilustremos: $2^{7/8} = \sqrt[8]{2^7} = \sqrt[8]{128}$, $3^{1/5} = \sqrt[5]{3}$, $7^{4/20} = 7^{1/5} = \sqrt[5]{7}$.

As propriedades da potenciação com expoentes inteiros se mantém para expoentes fracionários:

Regras de potenciação. Sendo a um número real positivo, m e n números racionais, tem-se

- $a^{m+n} = a^m a^n$
- $a^{m-n} = \dfrac{a^m}{a^n}$
- $(a^m)^n = a^{mn}$
- $(ab)^n = a^n b^n$
- $\left(\dfrac{a}{b}\right)^n = \dfrac{a^n}{b^n}$

Exemplo 12-1

(a) $\sqrt[4]{x}.4x.\sqrt[5]{x}.x^{-2/3} = x^{1/4}.4x.x^{1/5}.x^{-2/3} = 4x^{1/4+1+1/5-2/3} = 4x^{47/60}$.

(b) $\dfrac{\sqrt[9]{x^2} + 5\sqrt[7]{x^3}}{\sqrt[5]{x^4}} = \dfrac{x^{2/9} + 5x^{3/7}}{x^{4/5}} = \dfrac{x^{2/9}}{x^{4/5}} + \dfrac{5x^{3/7}}{x^{4/5}}$

$= x^{2/9-4/5} + x^{3/7-4/5} = x^{-26/45} + x^{-13/35}$.

Você pode deixar o resultado dos cálculos do modo acima. Se quiser, pode voltar à representação com radicais:

$$x^{-26/45} + x^{-13/35} = \dfrac{1}{x^{26/45}} + \dfrac{1}{x^{13/35}} = \dfrac{1}{\sqrt[45]{x^{26}}} + \dfrac{1}{\sqrt[35]{x^{13}}}.$$

(c) $(\sqrt[4]{2})^{1/8} = (2^{1/4})^{1/8} = 2^{(1/4)(1/8)} = 2^{1/32} = \sqrt[32]{2}$.

(d) $(\sqrt[8]{x}.\sqrt[5]{y^2})^{40} = (x^{1/8}.y^{2/5})^{40} = x^{(1/8).40}.y^{(2/5).40} = x^{40/8}.y^{2.40/5} = x^5.y^{2.8} = x^5.y^{16}$.

(e) $\left(\dfrac{\sqrt[3]{x}}{y^{2/3}}\right)^6 = \left(\dfrac{x^{1/3}}{y^{2/3}}\right)^6 = \dfrac{x^{(1/3).6}}{y^{(2/3).6}} = \dfrac{x^{6/3}}{y^{6.2/3}} = \dfrac{x^2}{y^4}$.

Exercício 12-1 Simplifique:

(a) $x\sqrt[3]{x} + 4x^{4/3} - 5\sqrt[3]{x^4}$.

(b) $\dfrac{\sqrt[3]{x^2}.\sqrt{x^3} - 2x^2.\sqrt[6]{x}}{\sqrt[6]{x^{13}}}$.

(c) $\dfrac{\sqrt[5]{x}.x^2.x^{1/3} - (\sqrt[15]{x^2})^2.x}{\sqrt[15]{x^{19}}}$.

(d) $(\sqrt[3]{5}a^{2/3})^9$.

(e) $\dfrac{\sqrt[4]{3}\sqrt[3]{3}}{\sqrt[3]{3}}$.

Exemplo 12-2 Podemos usar as propriedades vistas para efetuar cálculos com radicais:

(a) Para simplificar $\sqrt[3]{2^7}$, escrevemos $\sqrt[3]{2^7} = 2^{7/3}$. Dividindo 7 por 3 obtemos quociente 2 e resto 1: $7 = 3.2 + 1$, logo $7/3 = 2 + 1/3$. Portanto,

$$\sqrt[3]{2^7} = 2^{7/3} = 2^{2+1/3} = 2^2.2^{1/3} = 4\sqrt[3]{2}$$

(b) Para simplificar $\sqrt[4]{139968}/3\sqrt{2}$, escrevemos a decomposição prima de 139968 (conforme aprendemos no §6(D)) : $139968 = 2^6.3^7$. Então

$$\dfrac{\sqrt[4]{139968}}{3\sqrt{2}} = \dfrac{\sqrt[4]{2^6.3^7}}{3.2^{1/2}} = \dfrac{(2^6.3^7)^{1/4}}{3.2^{1/2}} = \dfrac{2^{6/4}.3^{7/4}}{3.2^{1/2}} = \dfrac{2^{3/2}.3^{7/4}}{3.2^{1/2}}$$

$$= 2^{3/2-1/2}.3^{7/4-1} = 2.3^{3/4} = 2\sqrt[4]{3^3} = 2\sqrt[4]{27}$$

Exercício 12-2 Simplifique:

(a) $\sqrt[3]{1024}$. (b) $\sqrt[5]{15552}$. (c) $\sqrt{18000}$. (d) $\sqrt[3]{56}$.

(e) $\sqrt[4]{14256}$. (f) $\dfrac{32\sqrt[3]{3}\sqrt{2}}{\sqrt{512}}$. (g) $\sqrt[3]{a^4 b^7}$. (h) $\dfrac{\sqrt[3]{a^{10} b^6}}{\sqrt[4]{a^2 b^5}}$.

Observação. Uma observação análoga à feita quando definimos potência com expoente inteiro (§6(G)) cabe aqui. Vamos nos ater a um caso particular, que ilustra bem o que acontece em geral. Se quisermos definir $a^{2/3}$ desejando que seja preservada a propriedade $(a^m)^n = a^{mn}$, estabelecida para m e n inteiros, devemos ter

$$(a^{\frac{2}{3}})^3 = a^{\frac{2}{3} \cdot 3} = a^2$$

Daí, necessariamente, $a^{2/3} = \sqrt[3]{a^2}$.

Respostas dos exercícios do §12

12-1 (a) 0. (b) –1. (c) $\sqrt[15]{x^{19}} - 1$. (d) $125a^6$. (e) 1.

12-2 (a) $8\sqrt[3]{2}$. (b) $6\sqrt[5]{2}$. (c) $60\sqrt{5}$. (d) $2\sqrt[3]{7}$.

(e) $6\sqrt[4]{11}$. (f) $2\sqrt[3]{3}$. (g) $\sqrt[3]{ab} \cdot ab^2$. (h) $\sqrt[6]{a^5} \sqrt[4]{b^3} \cdot a^2$.

---

§13- EQUAÇÃO QUADRÁTICA

(A) Equações na forma incompleta

Considere o seguinte problema: determine um número cujo quadrado é igual a ele. Sendo x um tal número, o problema exige $x^2 = x$. Temos então a equação $x^2 - x = 0$, na incógnita x (incógnito significa desconhecido). Esta equação é um exemplo de equação quadrática.

Uma equação na incógnita x é chamada de **equação quadrática** se puder ser colocada na forma $ax^2 + bx + c = 0$, onde a, b e c são números reais, com $a \neq 0$.

Quando $b = 0$ ou $c = 0$, a equação se diz na **forma incompleta**.

A equação $x^2 - x = 0$ citada acima está na forma incompleta. Outro exemplo é $4x^2 - 1 = 0$. No exemplo a seguir veremos como tratar esse tipo de equação.

Exemplo 13-1

(a) Para resolver a equação $x^2 - x = 0$, colocamos x em evidência, quer dizer, fatoramos o primeiro membro, com x sendo um dos fatores: $x^2 - x = x(x - 1)$. A equação dada fica então $x(x - 1) = 0$. Então, ou $x = 0$ ou $x = 1$. O conjunto-solução é $\{0, 1\}$.

(b) Para resolver a equação $2x^2 - 6 = 0$, tentamos inicialmente isolar x^2. Para isso, passamos 6 para o segundo membro: $2x^2 = 6$. Daí, $x^2 = 6/2 = 3$, logo $x = \pm\sqrt{3}$. Assim, o conjunto-solução da equação é $\{-\sqrt{3}, \sqrt{3}\}$.

Observação. Uma equação quadrática da forma $ax^2 + bx = 0$ sempre tem solução, pois ela se escreve $x(ax + b) = 0$, logo ou $x = 0$ ou $x = -b/a$. Mas uma da forma $ax^2 + c = 0$ pode ou não ter solução. De fato, se $2x^2 + 6 = 0$, então $x^2 = -6/2 = -3$. Ora, $x^2 \geq 0$, ao passo que $-3 < 0$, de modo que não existe x real que verifica $x^2 = -3$. Logo, o conjunto-solução da equação não tem elementos, caso em que é chamado de conjunto-vazio.

Exercício 13-1   Resolva a equação, em cada caso:

(a) $3x^2 - 12 = 0$.   (b) $4x^2 - 20 = 0$.   (c) $-x^2 + 1 = 0$.   (d) $x^2 + 1 = 0$.
(e) $2x^2 - x = 0$.   (f) $3x^2 + 4x = 0$.   (g) $x = -4x^2$.   (h) $x^3 - 2x = 3x^3$.

(B) A arte de completar quadrados

Dada a expressão $x^2 + 7x$, vamos supor que por algum motivo seja necessário escrevê-la na forma $(x + m)^2 + n$, onde m e n são números a determinar. Muito simples: basta desenvolver o quadrado na última expressão e igualá-la à primeira. Então, queremos que

$$x^2 + 7x = (x + m)^2 + n$$

ou seja,

$$x^2 + 7x = x^2 + 2mx + m^2 + n$$

Igualando os coeficientes de x vem $7 = 2m$, logo $m = 7/2$. O termo que independe de x do primeiro membro é 0, e o do segundo é $m^2 + n = (7/2)^2 + n$. Igualando, obtemos $0 = (7/2)^2 + n$, logo $n = -(7/2)^2 = -49/4$. Portanto, substituindo $m = 7/2$ e $n = -49/4$ na primeira expressão acima, vem

$$x^2 + 7x = (x + \frac{7}{2})^2 - \frac{49}{4}$$

A técnica acima é conhecida pelo nome de **completação de quadrados**. Para que serve? Espere só mais um pouco. Antes, gostaríamos de abreviar o procedimento. Para isso, abordemos o problema geral de completar quadrados sendo $y = x^2 + kx$. Ao invés de repetir o que foi feito, vamos dividir o coeficiente k de x por dois, para obter $k/2$, e somar $(k/2)^2$ a ambos os membros:

$$y + (\frac{k}{2})^2 = x^2 + kx + (\frac{k}{2})^2 \qquad \therefore \qquad y + (\frac{k}{2})^2 = (x + \frac{k}{2})^2$$

de onde resulta

$$y = (x + \frac{k}{2})^2 - (\frac{k}{2})^2$$

Portanto,

$$\boxed{y = x^2 + kx = (x + \frac{k}{2})^2 - (\frac{k}{2})^2} \qquad (\clubsuit)$$

Exemplo 13-2

(a) Retomemos o exemplo inicial. Para completar quadrados em $y = x^2 + 7x$, dividimos o coeficiente 7 de x por 2, e escrevemos diretamente, usando ($\clubsuit$):

$$y = x^2 + 7x = (x + \frac{7}{2})^2 - (\frac{7}{2})^2 = (x + \frac{7}{2})^2 - \frac{49}{4} \qquad \triangleleft$$

(b) Para completar quadrados em $y = x^2 - 8x$, dividimos o coeficiente -8 de x por 2, obtendo -4, e escrevemos diretamente, pelo que vimos acima:

$$y = x^2 - 8x = (x - 4)^2 - (-4)^2 = (x - 4)^2 - 16 \qquad \triangleleft$$

(c) Para completar quadrados em $y = -3x^2 + x$, colocamos inicialmente -3 em evidência, para podermos aplicar ($\clubsuit$):

$$y = -3x^2 + x = -3(x^2 - \frac{1}{3}x) = -3[(x - \frac{1}{6})^2 - (-\frac{1}{6})^2] = -3[(x - \frac{1}{6})^2 - \frac{1}{36}] \qquad \triangleleft$$

Exercício 13-2 Complete quadrados:

(a) $x^2 + 2x$. (b) $2x - x^2$. (c) $-4x - x^2$.
(d) $x^2 + x/3$. (e) $4x^2 - 16x$. (f) $-x^2 + 3x$.

(C) Fatoração de uma expressão quadrática. Equação do segundo grau

O dobro do quadrado de um número somado com seu triplo vale 27. Qual é o número? Para resolver este problema, indiquemos por x um tal número. Então devemos ter, de acordo com o enunciado, $2x^2 + 3x = 27$. Para resolver esta equação, isto é, para achar x, usaremos a técnica de completar quadrados. Para isso, dividimos ambos os membros por 2, para que o coeficiente de x^2 fique 1:

$$x^2 + \frac{3}{2}x = \frac{27}{2}$$

Como o coeficiente de x é 3/2, dividimos esse coeficiente por 2, para obter 3/4. A seguir somamos a ambos os membros $(3/4)^2$:

$$x^2 + \frac{3}{2}x + (\frac{3}{4})^2 = \frac{27}{2} + (\frac{3}{4})^2 \qquad \therefore \qquad (x+\frac{3}{4})^2 = \frac{225}{16}$$

Daí resulta que

$$x + \frac{3}{4} = \pm\sqrt{\frac{225}{16}} = \pm\frac{15}{4} \qquad \therefore \qquad x = -\frac{3}{4} \pm \frac{15}{4}$$

Usando o sinal +, vem $x = 3$, e usando o sinal –, $x = -9/2$. Portanto, o conjunto-solução da equação é $\{-9/2, 3\}$.

Este exemplo mostra como é útil a técnica de completar quadrados. Experimente resolver o seguinte exercício:

Exercício 13-3 Um indivíduo tem um filho aos 20 anos de idade. Qual a idade do filho quando o produto de sua idade pela do pai valer 224?

Para evitar que se repita o procedimento acima em cada caso onde se tenha uma equação do tipo visto, podemos estudar a expressão

$$y = ax^2 + bx + c \ (a \neq 0)$$

chamada de **expressão quadrática**. A idéia é completar quadrados. Para isso, dividimos ambos os membros por a:

$$\frac{y}{a} = x^2 + \frac{b}{a}x + \frac{c}{a}$$

Usando a técnica de completar quadrados, somamos $(b/2a)^2$ a ambos os membros:

$$\frac{y}{a} + (\frac{b}{2a})^2 = x^2 + \frac{b}{a}x + (\frac{b}{2a})^2 + \frac{c}{a}$$
$$= (x + \frac{b}{2a})^2 + \frac{c}{a}$$

Daí, como $(b/2a)^2 = b^2/4a^2$,

$$\frac{y}{a} = (x + \frac{b}{2a})^2 + \frac{c}{a} - \frac{b^2}{4a^2}$$

Temos:

$$\frac{c}{a} - \frac{b^2}{4a^2} = \frac{4ac}{4a^2} - \frac{b^2}{4a^2} = \frac{4ac - b^2}{4a^2} = -\frac{b^2 - 4ac}{4a^2} = -\frac{\Delta}{4a^2}$$

onde introduzimos o número Δ (letra grega, que se lê *delta*), chamado **discriminante**, dado por

$$\boxed{\Delta = b^2 - 4ac} \qquad (\blacklozenge)$$

Substituindo na expressão de y/a, vem

$$\frac{y}{a} = (x + \frac{b}{2a})^2 - \frac{\Delta}{4a^2}$$

Esta expressão nos mostra que, se $\Delta < 0$, y não se anula para qualquer x. Lembrando que $y = ax^2 + bx + c$, isso mostra que a equação $ax^2 + bx + c = 0$, com $a \neq 0$, chamada de **equação do segundo grau**, não tem solução (no conjunto dos números reais). Depois destacaremos isso. Vamos prosseguir (não desanime, por favor, que o mais difícil passou!). Supondo, agora, que $\Delta \geq 0$, podemos escrever $\Delta = (\sqrt{\Delta})^2$, e como $4a^2 = (2a)^2$, resulta que $\Delta/4a^2 = (\sqrt{\Delta})^2/(2a)^2 = (\sqrt{\Delta}/2a)^2$, de modo que a expressão de y/a fica

$$\frac{y}{a} = (x + \frac{b}{2a})^2 - (\frac{\sqrt{\Delta}}{2a})^2 = (x + \frac{b}{2a} + \frac{\sqrt{\Delta}}{2a})(x + \frac{b}{2a} - \frac{\sqrt{\Delta}}{2a})$$
$$= (x + \frac{b + \sqrt{\Delta}}{2a})(x + \frac{b - \sqrt{\Delta}}{2a})(x - \frac{-b - \sqrt{\Delta}}{2a})(x - \frac{-b + \sqrt{\Delta}}{2a})$$

Chamando de

$$x_1 = \frac{-b + \sqrt{\Delta}}{2a} \qquad\qquad x_2 = \frac{-b - \sqrt{\Delta}}{2a}$$

a expressão acima fica $y/a = (x-x_1)(x-x_2)$, ou seja,

$$y = a(x-x_1)(x-x_2)$$

Note o caso particular $\Delta = 0$, em que $x_1 = x_2 = -b/2a$. Neste caso, indica-se este número por x_0.

Em resumo:

Considere $y = ax^2 + bx + c$, com $a \neq 0$. Seja $\Delta = b^2 - 4ac$.

(a) Se $\Delta < 0$, y nunca se anula, ou seja, a equação $ax^2 + bx + c = 0$ não tem solução real.

(b) Se $\Delta > 0$, tem-se a fatoração

$$y = a(x - x_1)(x - x_2)$$

onde

$$\boxed{x_1 = \frac{-b + \sqrt{\Delta}}{2a}} \qquad \boxed{x_2 = \frac{-b - \sqrt{\Delta}}{2a}}$$

(♥)

Portanto, $y = 0$ para $x = x_1$ e para $x = x_2$, ou seja, x_1 e x_2 são as soluções distintas da equação $ax^2 + bx + c = 0$.

(c) Se $\Delta = 0$ tem-se a fatoração

$$y = a(x - x_0)^2$$

onde

$$x_0 = -b/2a$$

Portanto x_0 é a única solução da equação $ax^2 + bx + c = 0$.

Observação. Os números x_1, x_2 e x_0 são referidos como raízes da equação $ax^2 + bx + c = 0$, ($a \neq 0$), dita equação do segundo grau. Nesse contexto, x_0 é referida como raiz dupla, ao passo que x_1 e x_2 são ditas raízes simples; e no caso (a), diz-se que a equação não tem raízes(reais).

Exemplo 13-3

(a) Fatorar $y = 2x^2 - 3x + 1$, e dar as raízes da equação $2x^2 - 3x + 1 = 0$.
(b) Fatorar $y = -4x^2 + 4x - 1$, e dar as raízes da equação $-4x^2 + 4x - 1 = 0$.
(c) Quantas raízes tem a equação $x^2 + x + 1 = 0$?

Resolução.

(a) Temos $a = 2$, $b = -3$, $c = 1$. Então $\Delta = b^2 - 4ac = (-3)^2 - 4.2.1 = 1 > 0$, logo temos duas raízes reais, dadas por (♥):

$$\frac{-b \pm \sqrt{\Delta}}{2a} = \frac{-(-3) \pm \sqrt{1}}{2.2} = \frac{3 \pm 1}{4}$$

de onde resulta as raízes

$$x_1 = \frac{3+1}{4} = \frac{4}{4} = 1 \qquad \text{e} \qquad x_2 = \frac{3-1}{4} = \frac{2}{4} = \frac{1}{2} \quad \triangleleft$$

Portanto,

$$y = a(x - x_1)(x - x_2) = 2(x - 1)(x - \frac{1}{2}) \quad \triangleleft$$

(b) Temos $a = -4$, $b = 4$, $c = -1$. Então $\Delta = b^2 - 4ac = 4^2 - 4.(-4)(-1) = 16 - 16 = 0$, logo temos uma única raiz dupla, a saber

$$x_0 = -\frac{b}{2a} = -\frac{4}{2(-4)} = \frac{1}{2} \quad \triangleleft$$

Portanto,

$$y = a(x - x_0)^2 = (-4)(x - \frac{1}{2})^2 = -4(x - \frac{1}{2})^2 \quad \triangleleft$$

(c) Temos $a = 1$, $b = 1$, $c = 1$. Então $\Delta = b^2 - 4ac = 1^2 - 4.1.1 = -3 < 0$, logo não existem raízes reais.

Exercício 13-4   Fatore:

(a) $y = x^2 - 3x + 2$.
(b) $y = 2x^2 - 11x + 5$.
(c) $y = 3x^2 - x - 4$.
(d) $y = 2x^2 - x - 1$.
(e) $y = 16x^2 - 8x + 1$.
(f) $y = x^2/16 - x + 3$.
(g) $y = -x^2 + 2x - 1$.
(h) $y = -3x^2 + 6x + 2$.
(i) $y = -4x^2 + 4x - 1$.

Observação.   A fórmula (♥) se aplica aos casos particulares em que $b = 0$ ou $c = 0$ vistos na seção (A), de modo que se você quiser, pode usá-la também nesses casos. Porém a nossa experiência indica que nesses casos particulares é melhor fazer como ensinamos, isto é, por fatoração, porque a incidência de erros é menor.

Exercício 13-5 Um sitiante tem um pomar retangular de 20 metros por 10 metros. Ele deseja aumentá-lo prolongando seus lados de uma mesma quantidade, de modo que a área seja de 264 metros quadrados. Quais as novas dimensões do pomar?

Dada a equação do segundo grau $ax^2 + bx + c = 0$, a soma e o produto das raízes podem ser achados sem calcular essas raízes. De fato, usando (♥) vem

$$x_1 + x_2 = \frac{-b+\sqrt{\Delta}}{2a} + \frac{-b-\sqrt{\Delta}}{2a} = \frac{-b+\sqrt{\Delta}-b-\sqrt{\Delta}}{2a} = \frac{-2b}{2a} = -\frac{b}{a}$$

$$x_1 x_2 = (\frac{-b+\sqrt{\Delta}}{2a})(\frac{-b-\sqrt{\Delta}}{2a}) = \frac{(-b)^2 - (\sqrt{\Delta})^2}{2a.2a} = \frac{b^2 - \Delta}{4a^2}$$

$$= \frac{b^2 - (b^2 - 4ac)}{4a^2} = \frac{4ac}{4a^2} = \frac{c}{a}$$

Portanto:

Relações de Girard. Se x_1 e x_2 são as raízes da equação do segundo grau $ax^2 + bx + c = 0$, então

$$x_1 + x_2 = -\frac{b}{a}$$

$$x_1 x_2 = \frac{c}{a}$$

Exemplo 13-4 Considere a equação $2x^2 + x - 5 = 0$.

(a) Mostre que ela tem duas raízes reais p e q.
(b) Calcule $p + q$ e pq sem calcular p e q.
(c) Calcule $p^2 + q^2$.
(d) Calcule $p^3 + q^3$.

Resolução

(a) Como $\Delta = 1^2 - 4.2.(-5) = 41 > 0$, a equação tem duas raízes reais. ◄
(b) Usando as relações acima temos que

$$p + q = -\frac{1}{2} \quad \text{e} \quad pq = -\frac{5}{2}$$
◄

(c) Temos

$$p^2 + q^2 = (p+q)^2 - 2pq = (-\frac{1}{2})^2 - 2(-\frac{5}{2}) = \frac{1}{4} + 5 = \frac{21}{4}$$ ◀

(d) Temos

$$p^3 + q^3 = (p+q)(p^2 - pq + q^2) = (p+q)(p^2 + q^2 - pq)$$
$$= (-\frac{1}{2})(\frac{21}{4} - (-\frac{5}{2})) = -\frac{31}{8}$$ ◀

Exercício 13-6 Repita o exemplo anterior para a equação $x^2 - (\sqrt{3} - 1)x - \sqrt{3} = 0$.

Exercício 13-7 Considere a equação (na incógnita x) $x^2 - 6mx + m^2 = 0$, onde $m \neq 0$ é um número real.

(a) Mostre que ela tem sempre duas raízes reais.
(b) Calcule a soma e o produto das raízes.
(c) Calcule a soma dos quadrados das raízes.
(d) Calcule a soma dos inversos dos quadrados das raízes ($1/p^2 + 1/q^2$).
(e) Calcule a soma dos inversos dos cubos das raízes.

Vamos supor agora que x_1 e x_2 são números cuja soma S seja conhecida, bem como o seu produto P. Então x_1 e x_2 são raízes da equação $x^2 - Sx + P = 0$. Isto é fácil de provar. De fato, temos

$$x_1 + x_2 = S$$

$$x_1 x_2 = P$$

Da primeira vem $x_1 = S - x_2$, que substituído na segunda fornece $(S - x_2)x_2 = P$, e daí resulta facilmente que $x_2^2 - Sx_2 + P = 0$. Analogamente se chega a $x_1^2 - Sx_1 + P = 0$. Combinando com o resultado anterior, podemos enunciar:

> Existem números reais x_1 e x_2 de soma S e produto P se e somente se eles são raízes da equação $x^2 - Sx + P = 0$.

Exemplo 13-5 Determine dois números de soma -5 e produto 6.

Resolução. Temos $S = -5$ e $P = 6$. Os números pedidos são raízes da equação $x^2 - (-5)x + 6 = 0$, ou seja, da equação $x^2 + 5x + 6 = 0$. Resolvendo-a, obtém-se -2 e -3. ◀

Exercício 13-8 Determine dois números de soma S e produto P, nos casos:

(a) $S = 11, P = 30$. (b) $S = 3/4, P = 1/8$. (c) $S = -1, P = -6$. (d) $S = \sqrt{2} + \sqrt{3}, P = \sqrt{6}$.

Exemplo 13-6 Considere a equação $x^2 - (\sqrt{3} - 1)x - \sqrt{3} = 0$, que já apareceu no penúltimo exercício. Para determinar suas raízes, devemos calcular o discriminante $\Delta = b^2 - 4ac = [-(\sqrt{3} - 1)]^2 - 4.1.(-\sqrt{3}) = 3 - 2\sqrt{3} + 1 + 4\sqrt{3} = 4 + 2\sqrt{3}$. Como é positivo, temos duas raízes reais. Para calculá-las, vamos extrair a raiz de Δ, ou seja, calcularemos $\sqrt{4 + 2\sqrt{3}}$. Às vezes, uma expressão desse tipo pode ser simplificada. Veja como proceder. Escrevemos

$$\sqrt{4 + 2\sqrt{3}} = \sqrt{A} + \sqrt{B}$$

com A e B a determinar. Elevando ao quadrado, obtemos

$$4 + 2\sqrt{3} = (\sqrt{A})^2 + 2\sqrt{A}\sqrt{B} + (\sqrt{B})^2 = A + B + 2\sqrt{AB}$$

Façamos $4 = A + B$ e $3 = AB$. Portanto, A e B, se existirem, são raízes da equação $x^2 - 4x + 3 = 0$. Resolvendo esta equação do segundo grau, tarefa que deixamos para você executar, encontram-se as raízes 1 e 3. Podemos tomar $A = 1$ e $B = 3$. Substituindo na expressão acima de $\sqrt{4 + 2\sqrt{3}}$, vem

$$\sqrt{4 + 2\sqrt{3}} = \sqrt{1} + \sqrt{3} = 1 + \sqrt{3}$$

Calculemos as raízes da equação inicialmente dada, a saber,

$$x^2 - (\sqrt{3} - 1)x - \sqrt{3} = 0$$

Usando (♥), temos:

$$\frac{-b \pm \sqrt{\Delta}}{2a} = \frac{\sqrt{3} - 1 \pm (1 + \sqrt{3})}{2}$$

Usando o sinal +, obtemos $\sqrt{3}$, e usando o sinal –, obtemos -1, que são as raízes procuradas. ◄

Exercício 13-9 Simplifique:

(a) $\sqrt{4 + 2\sqrt{3}}$. (b) $\sqrt{9 + 2\sqrt{14}}$. (c) $\sqrt{15 + \sqrt{176}}$. (d) $\sqrt{11 - 2\sqrt{18}}$.

Exercício 13-10 Determine dois números cuja soma é $\sqrt{2}$ e cujo produto é $-6 - 2\sqrt{3}$.

Respostas dos exercícios do §13

13-1 (a) $\{-2,2\}$. (b) $\{-\sqrt{5}, \sqrt{5}\}$. (c) $\{-1,1\}$. (d) Não existe solução.

(e) $\{0,1/2\}$. (f) $\{-4/3 ,0\}$. (g) $\{-1/4 ,0\}$. (h) $\{0\}$.

13-2 (a) $(x+1)^2 - 1$. (b) $1 - (x-1)^2$. (c) $4 - (x+2)^2$.

(d) $(x+1/6)^2 - 1/36$. (e) $4[(x-2)^2 - 4]$. (f) $9/4 - (x-3/2)^2$.

13-3 8 anos.

13-4 (a) $y = (x-1)(x-2)$. (b) $y = 2(x-1/2)(x-5)$. (c) $y = 3(x+1)(x-4/3)$.

(d) $y = 2(x-1)(x+1/2)$. (e) $y = 16(x-1/4)^2$. (f) $y = (x-4)(x-12)/16$.

(g) $y = -(x-1)^2$. (h) $y = -3(x-1-\sqrt{15}/3)(x-1+\sqrt{15}/3)$.

(i) $y = -4(x-1/2)^2$.

13-5 22 metros e 12 metros.

13-6 (b) $\sqrt{3}-1$ e $-\sqrt{3}$. (c) 4. (d) $3\sqrt{3}-1$.

13-7 (b) $6m$ e m^2. (c) $34m^2$. (d) $34/m^2$. (e) $198/m^3$.

13-8 (a) 5 e 6. (b) 1/2 e 1/4 (c) -3 e 2. (d) $\sqrt{2}$ e $\sqrt{3}$.

13-9 (a) $1+\sqrt{3}$. (b) $\sqrt{2}+\sqrt{7}$. (c) $2+\sqrt{11}$. (d) $3-\sqrt{2}$.

13-10 $\sqrt{2}+\sqrt{6}$ e $-\sqrt{6}$.

§14- EQUAÇÕES QUE RECAEM EM EQUAÇÕES QUADRÁTICAS

Exemplo 14-1 Resolva a equação $x^{16} - x^8 - 2 = 0$.

Resolução. A equação não é uma equação quadrática (ou seja, não é uma equação do segundo grau). Porém escrevendo-a na forma $(x^8)^2 - x^8 - 2 = 0$, ela é uma equação do segundo grau na incógnita x^8. Isto fica mais claro se fizermos $t = x^8$, caso em que a equação fica $t^2 - t - 2 = 0$. Resolvendo esta equação, temos

$$t = \frac{-(-1) \pm \sqrt{(-1)^2 - 4.1(-2)}}{2.1} = \frac{1 \pm \sqrt{9}}{2} = \frac{1 \pm 3}{2}$$

portanto $t = 2$ ou $t = -1$. Como $t = x^8$, temos $x^8 = 2$, logo $x = \pm \sqrt[8]{2}$, ou $x^8 = -1$. Devemos descartar essa última igualdade, pois não existe x real que a verifica. Assim, o conjunto-solução da equação dada é $\{-\sqrt[8]{2}, \sqrt[8]{2}\}$. ◄

Exercício 14-1 Dê o conjunto-solução da equação, em cada caso.

(a) $x^{14} - x^7 - 2 = 0$.   (b) $x^4 - 13x^2 + 36 = 0$.   (c) $2\sqrt[5]{x^2} - 3\sqrt[5]{x} + 1 = 0$.

Vejamos agora um exemplo de equação em que a incógnita faz parte de um radicando. Uma tal equação é referida como **equação irracional**.

Exemplo 14-2 Resolva a equação $\sqrt{2x - 1} = 8 - x$.

Resolução. Para resolver a equação, elevamos ambos os membros ao quadrado para nos livrarmos do radical: $2x - 1 = (8 - x)^2$, ou seja, $2x - 1 = 64 - 16x + x^2$. Simplificando, obtemos $x^2 - 18x + 65 = 0$. Resolvendo esta equação, chega-se a que $x = 5$ ou $x = 13$. Vamos voltar à equação original, e substituir esses valores de x, só para verificar.

- Para $x = 5$:

    1º membro $= \sqrt{2.5 - 1} = \sqrt{9} = 3$;   2º membro $= 8 - 5 = 3$.

    Portanto, 5 é solução da equação dada.

- Para $x = 13$:

    1º membro $= \sqrt{2.13 - 1} = \sqrt{25} = 5$;   2º membro $= 8 - 13 = -5$.

    Portanto, 13 não é solução da equação dada.

    Conclusão: o conjunto-solução da equação dada é $\{3\}$. ◄

ATENÇÃO. É absolutamente necessário que você se convença da necessidade de verificar os resultados, como fizemos acima. O fato se baseia no seguinte: se a gente sabe que $a = b$ então certamente vale que $a^2 = b^2$. Mas, será que vale a recíproca, isto é, se soubermos que $a^2 = b^2$, será que podemos concluir que $a = b$? Claro que não: $(-2)^2 = 2^2$, e daí não podemos concluir que $-2 = 2$! (Se $a^2 = b^2$ podemos concluir que a = ±b.) Então $a = b$ não é equivalente a $a^2 = b^2$. Ora, na resolução acima, partimos de uma igualdade, e elevamos essa igualdade ao quadrado, portanto não temos uma equação equivalente. É por isso que devemos fazer a verificação. Se tivéssemos equações equivalentes, não haveria necessidade disso.

Observação. Pode acontecer que as duas soluções encontradas depois de se elevar ao quadrado sirvam. Veja o exercício 14-2(c).

Exercício 14-2 Resolva a equação, em cada caso:

(a) $\sqrt{2x+4} = 10 - x$.   (b) $\sqrt{2x+4} = x - 10$.   (c) $4\sqrt{x-2} = x + 1$.   (d) $2\sqrt{x} + x = 3$.

Quando aparece mais do que uma raiz quadrada, em geral é necessário elevar ao quadrado duas vezes, conforme ilustra o exemplo a seguir.

Exemplo 14-3 Resolva a equação $\sqrt{5x-1} - \sqrt{x+2} = 1$.

Resolução. Deixamos apenas um radical em cada membro, escrevendo

$$\sqrt{5x-1} = 1 + \sqrt{x+2}$$

Agora elevamos ao quadrado ambos os membros:

$5x - 1 = 1 + 2\sqrt{x+2} + x + 2$ ∴ $4x - 4 = 2\sqrt{x+2}$

Dividindo tudo por 2 vem $2x - 2 = \sqrt{x+2}$. Elevando ao quadrado ambos os membros, vem:

$4x^2 - 8x + 4 = x + 2$ ∴ $4x^2 - 9x + 2 = 0$

Resolvendo, resulta $x = 1/4$ e $x = 2$. Devemos voltar à equação dada e verificar se os valores encontrados são soluções.

- Para $x = 1/4$:

$1^{\underline{o}}$ membro $= \sqrt{5 \cdot \frac{1}{4} - 1} - \sqrt{\frac{1}{4} + 2} = \sqrt{\frac{1}{4}} - \sqrt{\frac{9}{4}} = \frac{1}{2} - \frac{3}{2} = -1 \neq 1 = 2^{\underline{o}}$ membro

portanto $x = 1/4$ não é solução.

- Para $x = 2$:

$1^{\underline{o}}$ membro $= \sqrt{5 \cdot 2 - 1} - \sqrt{2 + 2} = \sqrt{9} - \sqrt{4} = 3 - 2 = 1 = 2^{\underline{o}}$ membro

portanto $x = 2$ é solução.

O conjunto-solução da equação dada é $\{2\}$.   ◄

Exercício 14-3 Resolva a equação, em cada caso:

(a) $\sqrt{1+4x} = 3 + \sqrt{x-2}$. (b) $\sqrt{1+3x} - \sqrt{4+x} = 1$. (c) $\sqrt{3+2x} - \sqrt{x-2} + \sqrt{1+x} = 0$.

Exercício 14-4 Resolva a equação

$$(x+\frac{1}{x})^2 - (x+\frac{1}{x}) - 2 = 0$$

Respostas dos exercícios do §14

14-1 (a) $\{-1, \sqrt[7]{2}\}$. (b) $\{-3,-2,2,3\}$. (c) $\{1/32, 1\}$.

14-2 (a) $\{6\}$. (b) $\{16\}$. (c) $\{3, 11\}$. (d) $\{1\}$.

14-3 (a) $\{2,6\}$. (b) $\{5\}$. (c) não existe solução.

14-4 $\{1\}$.

---

§15- ALGUNS ERROS A SEREM EVITADOS

Este parágrafo se destina a citar alguns erros, que são destacados pelo fato de serem comuns. Preste atenção para não cometê-los.

1. Confundir –|–x| com –(–x).

Temos $-|-3| = -3$, e $-(-3) = 3$. Em geral, pode-se escrever $-|-x| = -|x|$ e $-(-x) = x$.

2. Confundir $(-x)^2$ com $-x^2$.

Temos $(-4)^2 = (-4)(-4) = 16$ e $-4^2 = -16$. Vale que $(-x)^2 = x^2$.

3. Escrever –(a + b) como –a + b.

Por exemplo, temos que, em geral, $(2x + 1) - (3x + 4) \neq 2x + 1 - 3x + 4$. Para haver igualdade (para todo x) devemos escrever $(2x + 1) - (3x + 4) = 2x + 1 - 3x - 4$.

4. Concluir que se x < a então cx < ca.

Devemos tomar cuidado. A conclusão acima só vale se $c > 0$. Assim, se $x < 3$, então $4x < 4.3$, ou seja, $4x < 12$. Se $c < 0$, devemos inverter o sinal de desigualdade, quer dizer, trocar $<$ com $>$. Assim, se $x < 3$ então $-2x > (-2)3$, isto é, $-2x > -6$.

5. Escrever $(x + a)^2$ como $x^2 + a^2$, ou $(x + a)^3$ como $x^3 + a^3$, etc.

Aqui só podemos dizer o óbvio. Use a fórmula correta. Assim, $(x + a)^2 = x^2 + 2ax + a^2$, $(x + a)^3 = x^3 + 3x^2a + 3xa^2 + a^3$ etc.

6. Em uma fração, cancelar uma parcela do numerador com uma do denominador.

Esta é a mais doída de todas as infrações à regra do jogo. Equivale, no futebol, ao *carrinho por trás*. Veja:

As simplificações nos dois casos a seguir ESTÃO ERRADAS:

$$\frac{3x+5}{x} = \frac{3\cancel{x}+5}{\cancel{x}} = 3 + 5$$

$$\frac{x^2+2x+1}{x^2+x+1} = \frac{\cancel{x^2}+2x+1}{\cancel{x^2}+x+1} = \frac{2x+1}{x+1}$$

Para cancelar algo do numerador com algo do denominador, eles devem aparecer como fatores, e não como parcelas. Por exemplo, se você deseja ardentemente cancelar x do numerador na primeira fração acima, transforme esse x em fator, colocando-o em evidência:

$$\frac{3x+5}{x} = \frac{x(3+\frac{5}{x})}{x} = \frac{x(3+\frac{5}{x})}{x} = \frac{1(3+\frac{5}{x})}{1} = 3+\frac{5}{x}$$

procedimento válido para $x \neq 0$.

Observe que poderíamos ter obtido o último membro a partir do primeiro diretamente, dividindo numerador e denominador por x, o que é válido, conforme vimos no §6(B). Da mesma forma, se você quiser cancelar x^2 na outra fração acima citada, basta dividir numerador e denominador por x^2:

$$\frac{x^2+2x+1}{x^2+x+1} = \frac{1+\frac{2}{x}+\frac{1}{x^2}}{1+\frac{1}{x}+\frac{1}{x^2}} \qquad (x \neq 0)$$

7. Escrever $\sqrt{x+a}$ como sendo $\sqrt{x}+\sqrt{a}$, $\sqrt[3]{x+a}$ como sendo $\sqrt[3]{x}+\sqrt[3]{a}$, etc.

A relação $\sqrt{x+a} = \sqrt{x}+\sqrt{a}$ para $a > 0$ é uma equação. Ao resolvê-la, você obterá a única solução $x = 0$. Portanto, em geral, $\sqrt{x+a} \neq \sqrt{x}+\sqrt{a}$. Da mesma forma, em geral tem-se

$$\sqrt[n]{x+a} \neq \sqrt[n]{x}+\sqrt[n]{a}$$

8. Escrever coisas como "2 > x > 6", como equivalente a "x < 2 ou x > 6".

Expliquemos através de um exemplo. A desigualdade $|x-4| > 2$, conforme aprendemos no § 10, se resolve assim : devemos ter $x-4 < -2$ ou $x-4 > 2$, ou seja, $x < 2$ ou $x > 6$. Aí alguém resolve dar uma resposta curta, e escreve $2 > x > 6$. Por que isto está errado? A resposta é simples: $2 > x > 6$ quer dizer, pela convenção introduzida no § 9, que $2 > x$ e que $x > 6$; ao passo que nós temos $2 > x$ **ou** $x > 6$. Na verdade, para se ter x tal que $a > x > b$, é preciso que seja $a > b$.

9. Reduzir ao mesmo denominador e em seguida esquecer o denominador.

Para calcular $x = \dfrac{1}{3} + \dfrac{1}{2}$, acha-se o mmc de 3 e 2, que é 6, e daí escreve-se $x = \dfrac{2.1 + 3.1}{6} = \dfrac{5}{6}$. Está tudo certo. Só que tem gente que responde $x = 5$ (?!). Isso mesmo, esquece-se o denominador. Bem, na verdade esse erro ocorre mais quando se está resolvendo uma equação, como por exemplo a seguinte:

$$\dfrac{2}{x-1} + \dfrac{4}{x} = 4$$

O mmc de $x - 1$ e x é $x(x - 1)$. Então

$$\dfrac{2x + 4(x-1)}{(x-1)x} = 4 \qquad \therefore \qquad \dfrac{6x - 4}{(x-1)x} = 4$$

O erro que estamos querendo evitar que você cometa é o de esquecer o denominador $(x - 1)x$, e ficar com $6x - 4 = 4$, o que levará à resposta $x = 4/3$, errada! Basta substituir tal valor na equação dada para ver que ela não é satisfeita. Mas não é por aí que queremos que você se convença do erro. A igualdade $10/2 = 5$ é verdadeira, mas se você esquecer o denominador, estará escrevendo $10 = 5$, um absurdo. Voltando à resolução da equação, temos: $6x - 4 = 4(x - 1)x$, de onde resulta, após simplificações, a equação $2x^2 - 5x + 2 = 0$. Resolvendo-a, obtém-se $x = 1/2$ ou $x = 2$. O conjunto-solução da equação é $\{1/2, 2\}$. (Note que, de início, deveríamos ter observado que a equação só tem sentido se $x \neq 0$ e $x \neq 1$, por causa dos denominadores).

O erro acima indicado talvez provenha de confusão com casos como o seguinte. Se a equação a resolver é

$$\dfrac{2}{x-1} + \dfrac{4}{x} = \dfrac{14}{x(x-1)}$$

então ao reduzirmos o primeiro membro ao mesmo denominador $(x - 1)x$, ele também é denominador do segundo membro, logo pode ser cancelado (para $x \neq 0$ e $x \neq 1$):

$$\dfrac{2x + 4(x-1)}{(x-1)x} = \dfrac{14}{x(x-1)} \qquad \therefore \qquad 2x + 4(x - 1) = 14$$

o que nos dá a solução $x = 3$. Nosso conselho é que você sempre escreva o denominador, e depois, se for o caso de se poder cancelar, efetue tal cancelamento. Assim, a possibilidade de erro é menor.

10. Confundir a + bc com (a + b)c.

Escrito dessa maneira, parece um erro pouco provável, pois $(a + b)c = ac + bc$, claramente diferente, em geral, de $a + bc$. Porém o erro ocorre quando se tem uma expressão numérica. Por exemplo, para calcular

$$x = 8 + 2 \cdot \frac{-2 + 7 \cdot 9}{2 + 4 \cdot 2}$$

tem gente que efetua primeiro a soma $8 + 2 = 10$, para depois multiplicar pela fração, que no caso vale 61/10, dando como resultado 61. Este resultado é incorreto. O cálculo correto se faz assim:

$$x = 8+2 \cdot \frac{-2+7 \cdot 9}{2+4 \cdot 2} = 8+2 \cdot \frac{-2+63}{2+8} = 8+2 \cdot \frac{61}{10} = 8 + \frac{61}{5} = \frac{8 \cdot 5 + 61}{5} = \frac{101}{5}$$

O erro se deve a um equívoco de leitura da expressão dada. Ela é lida assim:

$$(8 + 2) \cdot \frac{-2 + 7 \cdot 9}{2 + 4 \cdot 2}$$

Evidentemente esta é uma expressão diferente da dada: chamando-a de y, temos

$$y = (8 + 2) \cdot \frac{-2 + 7 \cdot 9}{2 + 4 \cdot 2} = 10 \cdot \frac{-2 + 7 \cdot 9}{2 + 4 \cdot 2} = 10 \cdot \frac{-2 + 63}{2 + 8} = 10 \cdot \frac{61}{10} = 61$$

11. Confundir a^{b^c} com $(a^b)^c$.

Uma das propriedades de potenciação com expoente racional nos diz que $(a^b)^c = a^{bc}$, que em geral é diferente de a^{b^c}. Exemplifiquemos:

Temos $3^{2^4} = 3^{16}$, ao passo que $(3^2)^4 = 3^{2 \cdot 4} = 3^8$, ou seja, $3^{2^4} \neq (3^2)^4$.

Apêndice

O Conjunto dos Números Reais como Corpo Ordenado Completo

Passamos em revista diversas propriedades dos números reais, com o objetivo de fornecer algumas regras de trabalhar com eles. Agora temos um objetivo um pouco mais ambicioso. Queremos indicar a você o seguinte:

- A gente pode partir de algumas propriedades básicas, as quais, uma vez admitidas, permitem demonstrar as outras. Vamos fazer isto como quem conta uma história, pois não é aqui o lugar de se fazer as demonstrações. As propriedades básicas admitidas são chamadas de axiomas (ou postulados) e as que se podem provar constituem os teoremas.

- Contar a você que os números reais gozam de mais uma propriedade, que não foi citada ainda no texto, e que, juntamente com as demais, caracteriza, em um certo sentido, os números reais. Trata-se do axioma da completude, do qual falaremos adiante.

Partimos da seguinte noção básica:

Uma **operação** sobre um conjunto é uma correspondência que a cada par ordenado de elementos desse conjunto associa um único elemento do conjunto.

Consideremos um conjunto K, munido de duas operações, uma chamada **adição**, que a cada par ordenado (a, b) associa $a + b$, outra chamada **multiplicação**, que a (a, b) associa $a.b$ (também indicado por ab), as quais verificam o seguinte:

(I) *(Propriedade comutativa)* Quaisquer que sejam a e b de K, tem-se:

$$a + b = b + a \qquad ab = ba$$

(II) *(Propriedade associativa)* Quaisquer que sejam a, b e c de K, tem-se:

$$(a + b) + c = a + (b + c) \qquad a(bc) = (ab)c$$

(III) *(Elemento neutro)* Existem elementos de K, indicados por 0 e 1, com $0 \neq 1$, tais que, para qualquer a de K, verificam

$$a + 0 = a \qquad a.1 = a$$

(IV) *(Elemento oposto e elemento inverso)*

- Dado a de K, existe um elemento indicado por $-a$, chamado **oposto** de a, tal que

$$a + (-a) = 0$$

- Dado $a \neq 0$ de K, existe um elemento de K, indicado por $\dfrac{1}{a}$, e também por a^{-1}, chamado **inverso** de a, tal que

$$a . \dfrac{1}{a} = 1$$

(V) *(Propriedade distributiva)* Quaisquer que sejam a, b e c de K, tem-se

$$a(b + c) = ab + ac \qquad (b + c)a = ba + ca$$

K, munido dessas operações, é chamado de **corpo**. As afirmações (I)-(V) são chamadas de **axiomas** (ou postulados) de corpo.

Exemplo Tomemos um conjunto qualquer com dois elementos, que indicaremos com $\overline{0}$ e $\overline{1}$. Vamos definir as operações de soma e multiplicação:

$$\overline{0} + \overline{0} = \overline{0} \qquad \overline{0} + \overline{1} = \overline{1} \qquad \overline{1} + \overline{0} = \overline{1} \qquad \overline{1} + \overline{1} = \overline{0}$$

$$\overline{0} . \overline{0} = \overline{0} \qquad \overline{0} . \overline{1} = \overline{0} \qquad \overline{1} . \overline{0} = \overline{0} \qquad \overline{1} . \overline{1} = \overline{1}$$

Pode-se verificar que $K = \{\overline{0}, \overline{1}\}$, com as operações acima definidas, é um corpo, por sinal bem diferente de $\mathbb{R}$.

Partindo desses axiomas, podem ser demonstrados vários resultados. Por exemplo:

Teorema. (Leis de Cancelamento.) Quaisquer que sejam a e b de K,
(a) se $a+b = a+c$ então $b = c$;
(b) se $ab = ac$ e $a \neq 0$ então $b = c$.

Teorema. (a) 0 e 1 são únicos com as respectivas propriedades.
(b) Para cada elemento a de K, o oposto e o inverso (se $a \neq 0$) de a são únicos.

Esclareçamos: (a) diz que se $a+0' = a$ para todo a de K, então $0' = 0$; e se $a.1' = a$ para todo a de K então $1' = 1$. Agora (b) ficou claro para você, esperamos.

Outros fatos que se podem demonstrar:

Teorema. (Regras de anulamento.)

(a) $a.0 = 0$, para todo a de K.

(b) Para quaisquer a e b de K, se $ab = 0$, então ou $a = 0$, ou $b = 0$.

Você deve estar curioso para ver como se pode fazer essas demonstrações. De passagem, observemos que, para nós, provar é sinônimo de demonstrar. Vejamos um exemplo, só para matar sua curiosidade.

Para demonstrar (b), observe que estamos supondo que $ab = 0$. Isto constitui o que se chama de **hipótese** do teorema (claro, faz parte da hipótese que K é um corpo). Vamos demonstrar que ou $a = 0$, ou $b = 0$. Esta parte constitui a **tese** do teorema. Destaquemos:

Hipótese: K é um corpo, e a e b são elementos de K tais que $ab = 0$

Tese: Ou $a = 0$ ou $b = 0$.

Passando à demonstração, temos dois casos:

- $a = 0$. Nada há a demonstrar.
- $a \neq 0$. Podemos, pelo axioma (IV), considerar a^{-1}. Multiplicando ambos os membros de $ab = 0$ por a^{-1}, obtemos

$$a^{-1}(ab) = a^{-1}.0$$

ou seja,

$$(a^{-1}a)b = 0$$

onde usamos o axioma (II) e a parte (a) do presente teorema (suposta já demonstrada). Usando ainda o axioma (IV), a última igualdade fica

$$1.b = 0$$

que pelo axioma (III) fornece $b = 0$.

Outros teoremas podem ser demonstrados. Entre eles, o seguinte:

Teorema. (Regras de sinal.) Para quaisquer a e b de K, tem-se:

(a) $-(-a) = a$

(b) $(-a)b = -(ab) = a(-b)$

(c) $(-a)(-b) = ab$

Podemos definir, em um corpo, subtração e divisão, da maneira seguinte (que você já deve ter adivinhado):

$$a - b = a + (-b) \quad \text{e} \quad \frac{a}{b} = a.b^{-1} \text{ (sendo } b \neq 0)$$

Resultados vistos no §5 e no §6 valem em um corpo qualquer, ou seja, constuem-se em teoremas, mas nós não vamos aqui enumerá-los.

Um corpo K é chamado de **corpo ordenado** se verifica o seguinte :

(VI) (Axioma de corpo ordenado.) Existe um subconjunto P de K, cada elemento do qual é chamado de **positivo**, tal que

(a) Se a e b estão em P, então $a + b$ e ab estão em P.

(b) Se a está em K, ou a está em P, ou $-a$ está em P, ou $a = 0$, e estas possibilidades são mutuamente exclusivas.

Pode-se provar que (a) e (b) são equivalentes a (a) e (b'), onde

(b') K fica separado em três conjuntos, P, $\{0\}$, e $\{P\}$, este último formado pelos elementos da forma $-a$, onde a percorre K.

Portanto, $\mathbb{R}$ é um corpo ordenado.

Em um corpo ordenado, define-se

- $a > b$ se $a-b$ está em P. Nesse caso, escreve-se alternativamente $b < a$.
- $a \geq b$ se $a > b$ ou $a = b$. Nesse caso, escreve-se alternativamente $b \leq a$.

Decorre da definição que:

- a está em P se e somente se $a > 0$.

Assim,

- $a > b$ se e somente se $a - b > 0$.

As seguintes propriedades podem ser demonstradas (as demonstrações são fáceis, e só são omitidas tendo em vista nossos objetivos):

Teorema. Em um corpo ordenado tem-se:
(a) (**Tricotomia**) Dados a e b do corpo ordenado, ocorre uma única das possibilidades: $a < b$, $a = b$, ou $a > b$.
(b) (**Transitividade**) Se $a < b$ e $b < c$ então $a < c$.
(c) $a < b$ se e somente se $a + c < b + c$.
(d) • Se $c > 0$ então $a < b$ se e somente se $ac < bc$.
  • Se $c < 0$ então $a < b$ se e somente se $ac > bc$.

Talvez valha a pena demonstrar, em caráter excepcional, o seguinte teorema, para o qual a seguinte notação será usada, válida em um corpo qualquer:

$$a^2 = a.a$$

Teorema. Se K é um corpo ordenado, e $a \neq 0$ é um elemento de K, então $a^2 > 0$.

Demonstração. Como $a \neq 0$, ou $a > 0$ ou $a < 0$, pelo axioma (VI)(b).
• Se $a > 0$, temos que $a.a > 0$, pelo axioma (VI) (a), ou seja, $a^2 > 0$.
• Se $a < 0$, temos que $-a > 0$, pelo axioma (VI)(b), e daí,

$$(-a)(-a) > 0$$

pelo axioma (VI)(a). Mas, pelo teorema que dá as regras de sinal (mencionado anteriormente), temos $(-a)(-a) = a.a = a^2$, o que substituído na desigualdade anterior nos dá $a^2 > 0$.

O teorema a seguir, sendo uma consequência do teorema anterior, recebe o nome de **corolário** (que tem como sinônimo a palavra menos usada **escólio**).

Corolário. Em um corpo ordenado, tem-se $1 > 0$.

Basta notar que $1 = 1.1 = 1^2 > 0$.

Em um corpo, pode-se introduzir a seguinte notação

$$2 = 1 + 1, 3 = 2 + 1, 4 = 3 + 1, 5 = 4 + 1, \text{ e assim por diante.}$$

Como curiosidade, provaremos que $5 = 3+2$. De fato,

$$3 + 2 = 3 + (1 + 1) = (3 + 1) + 1 = 4 + 1 = 5$$

(deixaremos para você justificar as igualdades).

Em um corpo, os elementos 1, 2, 3, ... não são necessariamente distintos (veja o exemplo de corpo com dois elementos que demos anteriormente). No caso de um corpo ordenado tem-se $1 < 2$, pois $2 - 1 = 1 > 0$; e também $3 > 2$ pois $3 - 2 = 1 > 0$. Vê-se então (usando a transitividade) que

$$0 < 1 < 2 < 3 < 4 < \ldots$$

o que mostra que tais elementos do corpo ordenado são todos distintos (pela tricotomia, quaisquer dois elementos dessa cadeia de desigualdades não podem ser iguais).

Tanto $\mathbb{R}$ quanto $\mathbb{Q}$ (o conjunto dos racionais) são corpos ordenados. Então os números reais têm alguma propriedade que os racionais não têm. Muito bem, esta propriedade é a chamada propriedade da completude. Ela é mais difícil de ser enunciada, mas já que chegamos até aqui, seria pena deixá-la de lado, mesmo que a compreensão não seja, digamos, total.

Vamos começar com as noções de (elemento) máximo e de (elemento) mínimo de um conjunto:

> Em um corpo ordenado, o **máximo** de um conjunto não-vazio A é o elemento de A que é maior do que todos os restantes elementos de A. Indica-se por $maxA$. O **mínimo** de A, indicado por $minA$, é o elemento de A que é menor que todos os restantes elementos de A.
>
> O máximo e o mínimo de A são referidos, respectivamente, como **o maior elemento** de A e o **menor elemento** de A (eles podem ou não existir).

Exemplo Sendo A o conjunto dos números reais a tais que $0 < a \leq 1$, então A não tem mínimo, e tem máximo, a saber, 1: $maxA = 1$. ◄

Considere, agora, o conjunto A dos números reais tais que $0 < a < 1$. Ele não tem máximo. O número 1 seria candidato a ser máximo, mas não pertence a A, de modo que não pode ser chamado de tal. Este número, que "quase é máximo" recebe o nome de supremo de A. Mas isto está muito longe de ser algo preciso. Para melhorar, vamos olhar para os números que, em uma representação geométrica dos números reais, ficam à direita de A (Figura 16-1), ou seja, os números m tais que $m \geq a$ para todo a de A. Cada m assim se diz uma limitação superior de A. Ora, 1 pertence a esse conjunto de limitações superiores de A, na verdade ele é o menor elemento desse conjunto. Agora podemos definir o supremo de A como sendo a menor das limitações superiores de A.

> Em um corpo ordenado, um conjunto A é dito **limitado superiormente** se existe m do corpo tal que $a \leq m$ para todo a de A. Um tal m é chamado de **limitação superior** de A. Se o conjunto das limitações superiores de A tem um menor elemento, ele é chamado de **supremo** de A, e indicado por $supA$.

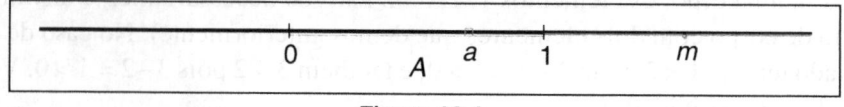

Figura 16-1

A seguir alguns exemplos simples para você conferir se está entendendo.

Exemplo

A é o conjunto dos a reais tais que $-2 \leq a < 2$. Então $supA = 2$. A não tem máximo.

A é o conjunto dos a reais tais que $-2 \leq a \leq 2$. Então $supA = 2 = maxA$.

$A = \{1,2,3\}$. Então $supA = maxA = 3$.

$A = \{1,2,3,4, ...\}$. Então A não tem supremo.

Falando imprecisamente, o supremo de um conjunto é alguém que ganha de todo mundo do conjunto, e é o menor que faz isso. É como se fosse um máximo do conjunto. Já que estamos esculhambando, podemos parafrasear o ditado "quem não tem cão caça com gato" dizendo "quem não tem máximo caça com supremo".

Estamos finalmente em condições de enunciar o axioma da completude:

Um corpo ordenado é chamado **completo** se satisfaz o seguinte:

(VII) (Axioma da completude) Todo conjunto não-vazio limitado superiormente tem supremo.

O corpo dos números reais satisfaz esse axioma. As propriedades dos números reais podem ser resumidas na seguinte afirmação:

O CONJUNTO DOS NÚMEROS REAIS É UM CORPO ORDENADO COMPLETO.

Admitido isso, todas as outras propriedades citadas podem ser demonstradas, constituindo-se assim, em teoremas. Nós fizemos duas demonstrações, a título de curiosidade.

Pode-se provar que $\mathbb{Q}$ é um corpo ordenado, porém não é um corpo ordenado completo.

Gostaríamos de ressaltar a importância de (VII) para os números reais, porém dizer alguma coisa concatenada nos levaria totalmente fora de nossos objetivos. Apenas como informação, diremos que graças a esse axioma, pode-se provar que todo número real positivo tem uma raiz quadrada. Não é o caso de $\mathbb{Q}$. Por exemplo, o número racional 2 não tem raiz quadrada em $\mathbb{Q}$, isto é, não existe $r > 0$ racional tal que $r^2 = 2$. Dito de outro modo, $\sqrt{2}$ é irracional (relembremos que um número real é irracional se não é racional).

Observação. A noção de ínfimo de um conjunto é introduzida com a idéia de que "quem não tem mínimo caça com o ínfimo", da seguinte maneira:

Em um corpo ordenado, um conjunto A é dito **limitado inferiormente** se existe m do corpo tal que $a \geq m$ para todo a de A. Um tal m é chamado de **limitação inferior** de A. Se o conjunto das limitações inferiores de A tem um maior elemento, ele é chamado de **ínfimo** de A, e indicado por $infA$.

Pode-se provar o seguinte

Teorema. Em um corpo ordenado completo todo conjunto não-vazio limitado inferiormente tem ínfimo.

Exercícios Suplementares

Exercício 1 Calcule:

(a) $\left|-\dfrac{3}{4}\right|$.   (b) $-|-10|$.   (c) $-(-8)$.   (d) $|-2|+|-3|$.

(e) $|-2|-|-2|$.   (f) $|-5-3|$.   (g) $|-6+4|$.   (h) $|-(-2)|$.

Exercício 2 Verdadeiro ou Falso?

(a) $\dfrac{2}{0} = 2$.   (b) $\dfrac{3}{0} = 0$.   (c) $\dfrac{0}{3} = 0$.   (d) $\dfrac{0}{0} = 1$.

Exercício 3 Calcule

(a) $\dfrac{3}{5} \cdot \dfrac{5}{3}$.   (b) $\left(-\dfrac{2}{7}\right) \cdot \dfrac{4}{8}$.   (c) $\left(-\dfrac{2}{5}\right) \cdot \dfrac{1}{6} \cdot \left(-\dfrac{24}{3}\right)$

(d) $\dfrac{0}{0}$.   (e) $(\sqrt{2}+\sqrt{3})(\sqrt{2}-\sqrt{3})$.   (f) $\dfrac{\frac{1}{2}}{\frac{1}{3}}$.

Exercício 4 Calcule

(a) $\dfrac{1}{5}+\dfrac{2}{5}+\dfrac{9}{5}$.   (b) $\dfrac{1}{6}-\dfrac{1}{9}+\dfrac{1}{3}$.   (c) $\dfrac{5}{x}-\dfrac{9}{x}$.

Exercício 5 Calcule

(a) $-12-(-14)+|-17|$.   (b) $\dfrac{-40}{-\frac{4}{8}}$.   (c) $9-(-6)\left[\dfrac{2(-3)-4 \cdot 5}{-8(6)-4}\right]$.

(d) $[9-(-6)]\left[\dfrac{2(-3)-4.5}{-8(6)-4}\right]$.

(e) $-5\dfrac{-3-(-5)}{2-(-3)}$.

(f) $1+[-2(3-2)+1-(1-(-2))]$.

Exercício 6 Resolva as equações

(a) $4x+10-(3x-4)+4(-2x-1)=-9x+4$.

(b) $|3x-7|=13$.

(c) $|2x-4|\,|x+10|=0$.

(d) $|3x-1|=-2$.

(e) $|x|=|2x-1|$.

(f) $|x-2|=|x-6|$.

Exercício 7 Resolva as desigualdades

(a) $-(1-x)\le -(x+2)$.

(b) $5(y+2)>-10y$.

(c) $|7x+6|\ge 1$.

(d) $|3x-10|<2$.

Exercício 8 Verdadeiro ou Falso?

(a) $2>x>5$.

(b) $3\le 5$.

(c) $2\le 2$.

(d) $-7>-3$.

(e) $-|x|\le x\le |x|$.

(f) $\sqrt{x^2}=|x|$.

Exercício 9 A fórmula F = 9C/5 + 32 dá a relação entre a temperatura em graus Fahrenheit F e graus Celsius C.

(a) Se a temperatura em graus Fahrenheit variou de 69° F a 96° F, qual a correspondente variação em graus Celsius?

(b) Se a temperatura em graus Celsius variou de 1° C a 99° C, qual a correspondente variação em graus Fahrenheit?

Exercício 10 Calcule

(a) $(-5)^2$.

(b) -5^2.

(c) $-(-5)^2$.

(d) $(\dfrac{3}{4})^2$.

(e) $(-\dfrac{4}{3})^{-2}$.

(f) $(-1)^{18}$.

(g) 4^0.

(h) $(-\dfrac{1}{4})^{-3}$.

(i) $-(-\dfrac{1}{8})^{-\frac{1}{3}}$.

(j) $(\sqrt{2^{30}})^0$.

Exercício 11 Simplifique, fazendo aparecer somente expoentes positivos:

(a) $\dfrac{21x^8y^7}{3xy^6}$.

(b) $\dfrac{u^3v^2c^0}{(uv)^4c^3}$.

(c) $\dfrac{(4x^2y^{-1})^{-1}}{xy}$.

(d) $\dfrac{x^3y^4}{x^2y^{-5}}$.

(e) $\dfrac{\frac{x^2y}{x^4y^{-1}}}{3x^2}$.

(f) $\dfrac{9x}{\frac{1}{xy}}$.

Exercício 12 Efetue

(a) $(2x-3)(3x^2-x+4)$.

(b) $(x-2)(2x+3)(3x-4)$.

(c) $2x^2 - 5x + 6 - (3x + 7)$.
(d) $(2t^3 - t^2 + 2t - 1)(2t-1)$.
(e) $(3x^2 - xy - 5) - (x^2 - 3xy -1)$.
(f) $(u^2 - 4u + 3)(4u^3 + 2u + 5)$.

Exercício 13 Fatore:

(a) $4x^2 - 3x$. (b) $3x^4 - 12x^2$. (c) $x^2y^2 - 16$. (d) $x^2 + 14x + 48$.
(e) $2x^2 - x - 6$. (f) $3y^4 + 3y^2 - 6$. (g) $2x^2 + (4/3)x + 2/9$.

Exercício 14 Fatore

(a) $8t^3 - 1$. (b) $8t^3 + 1$. (c) $(x-1)^3 + 8$.

Exercício 15

(a) Fatore a expressão $x^6 - y^6$, escrevendo-a como diferença de cubos.

(b) Fatore a expressão $x^6 - y^6$, escrevendo-a como diferença de quadrados.

(c) Dê uma fatoração de $x^4 + x^2y^2 + y^4$.

Exercício 16 Resolva a equação

$x^4 - a^4 - 3x^2 - 3a^2 = 0$ $(a \neq 0)$

Exercício 17 Resolva as equações

(a) $\dfrac{x^2 - 5x - 6}{1 - x^2} = 4$.
(b) $\dfrac{6x}{x-5} - \dfrac{8x-3}{x-5} = -\dfrac{3}{5}$.
(c) $\dfrac{6}{x-5} + 3 + x = x + 9$.

Exercício 18 Resolva as equações

(a) $\dfrac{1}{x} + \dfrac{1}{x+6} = \dfrac{1}{4}$.
(b) $\dfrac{x^2 - 4}{x^2 - x - 6} = 3x - 10$.
(c) $\dfrac{5-x}{x^2 - 25} + \dfrac{1}{10} = 0$.

Exercício 19 Resolva as equações

(a) $2 + x = 3\sqrt{x}$.
(b) $\sqrt{x}(\sqrt{x} + 1) = 12$.
(c) $\sqrt[3]{4x^2 + x - 4} = x$.

Exercício 20 Racionalize

(a) $\dfrac{\sqrt{5}-3}{2-\sqrt{5}}$.
(b) $\dfrac{7}{3-\sqrt{2}}$.
(c) $\dfrac{2}{\sqrt[3]{4} - \sqrt[3]{2}}$.

Exercício 21 Usando o dispositivo de Briot-Ruffini, determine a expressão polinomial Q e o número R, para que se tenha identidade em $\mathbb{R}$:

(a) $2x^3 - 6x^2 + x - 5 = (x-2) \cdot Q + R$.
(b) $2x^3 - 12x^2 + 2x - 12 = (2x - 12) \cdot Q + R$.
(c) $3x^4 - 2x^3 + 2x^2 - x + 1 = (x-2) \cdot Q + R$.
(d) $x^5 - 8x^3 + 10x + 57 = (x+3) \cdot Q + R$.

Exercício 22 Divida:

(a) $3x^3 - 5x + 4$ por $3x^2 - 6x$.

(b) $x^4 + 3x^2 + 2$ por $9 - x - x^2$.

Exercício 23 Efetue, simplificando:

(a) $\sqrt{\sqrt[3]{64}}$. 　　(b) $\sqrt[3]{\sqrt[5]{x^{15}}}$. 　　(c) $\sqrt[8]{\sqrt{x^{16}}}$.

Exercício 24 Divida, deixando aparecer somente expoentes positivos:

(a) $\dfrac{8x^{3/5} - 2\sqrt[3]{x^2} + x^{4/5}}{\sqrt[5]{x}}$. 　　(b) $\dfrac{8x \cdot x^{3/5} - x^6 \cdot \sqrt[3]{x^2} + x^{4/5}}{x^7 \cdot \sqrt[6]{x^2}}$.

Respostas dos exercícios suplementares

1. (a) $\dfrac{3}{4}$.　　(b) -10.　　(c) 8.　　(d) 5.

   (e) 0.　　(f) 8.　　(g) 2.　　(h) 2.

2. (a) F.　　(b) F.　　(c) V.　　(d) F.

3. (a) 1.　　(b) $-\dfrac{1}{7}$.　　(c) $\dfrac{8}{15}$.　　(d) Não está definido.

   (e) -1.　　(f) $\dfrac{3}{2}$.

4. (a) $\dfrac{12}{5}$.　　(b) $\dfrac{7}{18}$.　　(c) $-\dfrac{4}{x}$.

5. (a) 19.　　(b) 80.　　(c) 12.　　(d) $15/2$.

   (e) -2.　　(f) -3.

6. (a) $\{-3\}$.　　(b) $\{-2, 20/3\}$.　　(c) $\{-10, 2\}$.

   (d) Não existe x.　　(e) $\{1, 1/3\}$.　　(f) $\{4\}$.

7. (a) $x \leq -1/2$.　　(b) $y > -2/3$.　　(c) $x \leq -1$ ou $x \geq -5/7$.　　(d) $8/3 < x < 4$.

8. (a) F.　　(b) V.　　(c) V.　　(d) F.

   (e) V.　　(f) V.

9. (a) De $185/9$ a $320/9$.　　(b) De $169/5$ a $1051/5$.

Exercícios suplementares   101

10. (a) 25.   (b) −25.   (c) −25.   (d) 9/16.
     (e) 9/16.   (f) 1.   (g) 1.   (h) −64.
     (i) 2.   (j) 1.

11. (a) $7x^7 y$.   (b) $\dfrac{1}{uv^2 c^3}$.   (c) $\dfrac{1}{4x^3}$.   (d) xy^9.
     (e) $\dfrac{3y^2}{x}$.   (f) $9x^2 y$.

12. (a) $6x^3 - 11x^2 + 11x - 12$.   (b) $6x^3 - 11x^2 - 14x + 24$.
     (c) $2x^2 - 8x - 1$.   (d) $4t^4 - 4t^3 + 5t^2 - 4t + 1$.
     (e) $2x^2 + 2xy - 4$.   (f) $4u^5 - 16u^4 + 14u^3 - 3u^2 - 14u + 15$.

13. (a) $x(4x - 3)$.   (b) $3x^2(x - 2)(x + 2)$.   (c) $(xy - 4)(xy + 4)$.
     (d) $(x + 6)(x + 8)$.   (e) $2(x + 3/2)(x - 2)$.   (f) $3(y - 1)(y + 1)(y^2 + 2)$.
     (g) $2(x + 1/3)^2$.

14. (a) $(2t - 1)(4t^2 + 2t + 1)$.   (b) $(2t + 1)(4t^2 - 2t + 1)$.   (c) $(x + 1)(x^2 - 4x + 7)$.

15. (a) $(x + y)(x - y)(x^4 + x^2 y^2 + y^4)$.   (b) $(x + y)(x - y)(x^2 + xy + y^2)(x^2 - xy + y^2)$.
     (c) $x^4 + x^2 y^2 + y^4 = (x^2 + xy + y^2)(x^2 - xy + y^2)$.

16. $\{\sqrt{a^2 + 3}, -\sqrt{a^2 + 3}\}$.

17. (a) {2}.   (b) {0}.   (c) {6}.

18. (a) {−4, 6}.   (b) {8/3, 4}.   (c) Não existe x.

19. (a) {1, 4}.   (b) {9}.   (c) {−1, 1, 4}.

20. (a) $1 + \sqrt{5}$.   (b) $3 + \sqrt{2}$.   (c) $\sqrt[3]{16} + \sqrt[3]{8} + \sqrt[3]{4}$.

21. (a) $2x^2 - 2x - 3$ e -11.   (b) $x^2 + 1$ e 0.
     (c) $3x^3 + 4x^2 + 10x + 19$ e 39.   (d) $x^4 - 3x^3 + x^2 - 3x + 19$ e 0.

22. (a) Quociente $x + 2$, resto $7x + 4$.   (b) Quociente $-x^2 + x - 13$, resto $-22x + 119$.

23. (a) 2.   (b) x.   (c) |x|.

24. (a) $8x^{2/5} - 2x^{7/15} + x^{3/5}$.   (b) $\dfrac{8}{x^{86/15}} - \dfrac{1}{x^{2/3}} + \dfrac{1}{x^{98/15}}$.

Impressão e Acabamento

DIGITAL PAGE
Gráfica e Editora